Simpele zielen en nog wat

Werk van Annie M. G. Schmidt

Staatsprijs voor kinder- en jeugdliteratuur 1964
Constantijn Huygensprijs 1987
Hans Christian Andersenprijs 1988
CPNB Publieksprijs voor Poëzie 1988

Het fluitketeltje en andere versjes (1950)
Jip en Janneke (verhaaltjes, 5 delen, 1953-1960)
Abeltje (1953)
De A van Abeltje (1955)
Wiplala (1957) Kinderboek van het jaar 1957
Het beertje Pippeloentje (versjes, 1958)
Wiplala weer (1962)
Heksen en zo (sprookjes, 1964)
Minoes (1970) Zilveren Griffel 1971
Pluk van de Petteflet (1971) Zilveren Griffel 1972
Floddertje (1973)
Waaidorp (leesboek, 2 delen, 1972-1979)
Otje (1980) Gouden Griffel 1981
Tot hier toe (gedichten en liedjes voor toneel,
     radio en televisie 1938-1985, 1986)
Ziezo (de 347 kinderversjes, 1987)
Tante Patent (1988)
De uilebril (gedichten in grote letters, 1988)
Uit met juffrouw Knoops (1989)

*JeugdSalamander

Annie M. G. Schmidt
Simpele zielen en nog wat

Amsterdam   Em. Querido's Uitgeverij B.V.   1990

Samengesteld door Tine van Buul en Reinold Kuipers.

Eerste, tweede, derde en vierde druk, 1989; vijfde druk, 1990.

ISBN 90 214 8138 3 / CIP / NUGI 300

Inhoud

September is een dame in tweed

September is een dame in tweed. Ze stapt uit haar autootje, vlot en toch gereserveerd, grijzend bij de slapen en toch jeugdig. Zij zegt: 'Kom, laten we nu eens even zakelijk zijn. Het nieuwe seizoen is aangebroken, dokter H. F. Rot is weer te consulteren. Komedia heeft een première, de cursus voor assistent-accountant A en B begint weer en niemand kan met goed fatsoen meer zeggen: "het spijt me, het komt door de vakantiedrukte." Welnu dus! Een nieuwe punt aan het rode potlood, meneer en mevrouw!'

Daar is ze dan, deze dame in tweed, September, haar overhemdblouse is hagelwit, ze heeft pigskin handschoenen en een gouden tand als ze lacht, want o ja, ze lacht, ondanks de zakelijkheid, en zegt: 'Loop niet te hard van stapel, ik heb nog het een en ander voor u. In mijn tas: een paar avondjes van paarlemoer, mmmm! en zo zacht... zo zacht... En een paar gouden middagjes aan het water en nu en dan een terrasje.' Zo spreekt deze dame.

Septembermensen houden van haar. Septembermensen zijn de vijftigjarigen, de van-nature-vijftigjarigen. In het voorjaar zijn ze pessimistisch: 'Die blaren vallen straks weer af.' Maar ze zijn optimist in het najaar: 'O, er komen wel weer eens nieuwe blaren aan.' Het zijn de mensen die alle beloften wantrouwen, maar erg genieten van wat er is. Ze geloven niet in groot geluk, maar wel in béchamelsaus, een spelende poes en een stukkie Mozart. Ze hebben niet zozeer behoefte aan zon, als wel aan een zonnetje. Mijmerend achter hun glas zien ze van alle dingen op aarde zoveel kanten tegelijk, dat ze niet veel meer te zeggen hebben. Wanneer ze op hun tenen gaan staan en hun leesbril afzetten, zien ze in de verte hun jeugd liggen: een hoopje serpentines en een feestmuts onder een verwaaide seringestruik; dat is dan net genoeg de moeite waard om nu en dan de leesbril voor af te zetten.

De vijftigjarigen voelen zich thuis in september, meer dan in mei bij voorbeeld. Mei is namelijk geen dame, maar een maagd in lila. Ze is wunderschön, maar ze belooft veel te veel, een nare eigenschap van lila maagden. De september-mensen schrikken een beetje van al dat tere en juichende en smachtende en kwelende en geurende; zij voelen daarachter een Groot Bedrog; da's allemaal goed voor faunen en nimfen en andere blote personen zonder brillekoker en zonder spoorboekje. Dwalend tussen de sneeuwbal en de rode kas-tanje voelen zij hun niersteen scherper, ze zijn zich meer be-wust van hun nieuwe tandprothese en van het wollen onder-goed, dat ze niet mogen uitlaten (advies van dokter H. F. Rot). En alles bij elkaar zijn ze erg bang geworden voor belof-ten van lila maagden. September belooft niets meer; zij is een wat nuchtere dame, zoals gezegd in tweed, maar als ze naast ons komt zitten aan het tafeltje, stopt ze ons met een begrij-pend lachje het een en ander toe. Een douceurtje, waar we niet op gerekend hadden. Een aardig mens, een beetje koel, maar aardig.

8-9-1950

Zij verdient een standbeeld

Hoe zouden ze dat toch doen met standbeelden: *Wie* beslist er voor wie er een standbeeld wordt opgericht? Is er misschien een secretaris-generaal-voor-de-standbeelden? Het lijkt me aardig om eens een pooslang secretaresse-generaal-v.-d.-st. te zijn en te zeggen: 'Vandaag slopen we de gebroeders De Wit.' En dan in plaats daarvan daar iemand neer te zetten, die de veiligheidsspeld heeft uitgevonden of de fopspeen, of zo maar iemand, iemand die nog nooit iets gedaan heeft. Een man op een sokkel in een stenen pyjama, die zijn stenen hand houdt voor een stenen geeuw. En een onderwijzer met een klas kinderen ervoor: 'En dit, kinderen, is Piet Smit.' 'Wat heeft hij gedaan, meester?' 'Niets. Hij heeft zijn leven lang niets gedaan.' En dan alle kinderen eerbiedig kijken met de mondjes open van bewondering, want dat is me wat!

Maar vóór alles zou ik een standbeeld neerzetten van de juffrouw uit de fournituurenwinkel, omdat ze het verdient. Omdat ze de meest ten hemel schreiende werkkring heeft, die met alle mogelijkheid bedacht zou kunnen worden. Ja, ogenschijnlijk gaat het zo knus in zo'n frunselwinkel, met die duizenden knoopjes en kraagjes en jabootjes en lint per meter en rolletjes zij. Het heeft iets vredigs en probleemloos. Maar u moet voor de aardigheid eens een poosje luisteren en toekijken in een fournituurenwinkel. Vrouwen die een hoed kopen, kunnen spoken zijn. Vrouwen die schoenen passen, kunnen de verkoopster het bloed van onder de nagels vandaan treiteren, maar het meest tergend is een cliënte van een fournituren- en passementenzaak. Ze komt binnen en begint peinzend aan een reep kant te voelen, die ergens afhangt.

Heel, heel lang. Als de juffrouw (die later het standbeeld krijgt) vraagt: 'En u, mevrouw, zegt u het eens?', dan antwoordt zij weifelend: 'Tja, ik heb hier een staaltje.' Ze doet de handtas open en haalt er een portemonnaie uit, doet die open en haalt er een lapje uit. 'Kijk,' zegt ze, 'dit is zachtlila. Nu wou ik daar graag knoopjes op hebben.' 'Wat voor kleur, mevrouw?' 'Tja, dit is zachtlila, hè? Nu wou ik er ook zachtlila knoopjes op hebben, maar als 't kan een ietsje dieper lila. Ja, als 't kan, als u 't heeft.'

De juffrouw trekt een laatje open met lila knoopjes. En dan begint de misère. De dame neemt een knoopje en zegt: 'Dit is te ros.' Ze gaat naar de spiegel, legt het lapje op haar boezem en daarop het knoopje. Het valt er allemaal niet af, maar rust daar als op een bed. Ze trekt haar pas-gezicht aan en zegt na een kwartier: 'Het is te ros. Het gaat naar zalm.' 'Probeert u eens dit soort genre,' zegt de juffrouw, 'dit is origineel zachtlila, maar dan dieper.'

De dame probeert alle soorten genres voor de spiegel. Als ze iets gevonden heeft, blijkt het bij het daglicht voor het raam te diep lila te zijn, het gaat naar cyclaam. Eindelijk is er een knoopje, niet te diep, niet te ros. De fourniturenjuffrouw ademt op, maar de dame zegt: 'Dit precies zo wou ik nou in het fluweel hebben.' 'Dat hebben we niet mevrouw. Misschien nog iets in een zijden knoopje.'

Nu komt een la met zijden knoopjes. Allemaal lila. En de pijnigende manoeuvre begint opnieuw, voor de spiegel op de boezem op het lapje bij het daglicht. De dame begint te zuchten en zegt: 'Ja, dit is de goede kleur, dit wil ik hebben maar als het kan in het fluweel.' 'Fluweel hebben we niet mevrouw, dit is alles wat we in lila knoopjes hebben, wat u hier ziet.' 'O,' zegt de dame. 'Tja, dit zou ook een goeie kleur zijn, hebt u dit dan in het fluweel?' 'Nee, mevrouw, dit wat u hier ziet is alles wat we in lila knoopjes hebben'. 'O, dan zou ik misschien dit kunnen nemen. Of was dat nou dat rosse van zonet. Dat naar zalm gaat. Nee, dat was het niet. Waar hebt u

ook weer dat knoopje dat ik zei dat naar zalm ging?' 'Nee juffrouw, dat was dat naar cyclaam ging.' 'Nou goed, geeft u me
dan maar zes van deze knoopjes, of wacht eens. Zes? Het is
een japon met... Nee, acht. Hoeveel kosten ze, juffrouw?
Dertig cent? O, hebt u diezelfde kleur niet wat goedkoper? O
nee, o. Nou geeft u me dan maar zes van die. Nee, acht.
Wacht u even, ik wou ze nog even zien bij daglicht. Mag ik
de spiegel even meenemen? O, ziet u juffrouw, dit was toch
dat knoopje, dat ik zei, dat naar zalm gaat. Ziet u wel juffrouw, dan kijk ik toch nog liever even verder in de stad.' En
dan gaat het staaltje in de portemonnaie en de portemonnaie
in de tas en de tas in de boodschappentas. 'Dag juffrouw.'
'Dag mevrouw.' 'O, wacht juffrouw, nou vergeet ik nog...
zachtlila bandfluweel, hebt u dat voor mij, o, ik zal nog even
het staaltje erbij halen.'

Op dat moment zou de juffrouw van de fournituren-win-
kel volgens menselijke maatstaven de bak met knoopjes
moeten nemen en ze luid gillend op straat gaan uitdelen.
Maar ze doet het niet. Ze zegt: 'Alstublieft mevrouw, hoe
breed moet het zijn?' En daarom zou ze een standbeeld moeten hebben.

5-4-1951

Hoe is zijn karakter eigenlijk?

Wat stom, dat ik net dat boek over erfelijkheidsleer heb ingekeken, vlak voor ik naar mijn zuster ging. Zij heeft een zuigeling van een paar maanden en over zijn karaktertje maakt ze zich niet bezorgd, wel over zijn stofwisseling. 'Prachtige luiers!' zegt ze trots, terwijl ze mij de inhoud laat zien. 'Goudgeel, zie je wel?' Ze zegt het met een devotie alsof ze voor een drieluik van Grünewald staat.

Hoe is zijn karakter eigenlijk, vraag ik wantrouwend.

'Zijn karakter? O, hij heeft een uitgesproken karakter. Hij heeft de wilskracht van zijn vader.'

Gespannen kijk ik toe, hoe ze de billen van deze wilskrachtige met poeder bestuift: het boek over erfelijkheidsleer spookt me door het hoofd en bezorgt me visioenen. Kijk, ouders denken dat ze hun gezamenlijke nobele eigenschappen in hun kinderen uitgestort hebben, maar in werkelijkheid zit zo'n kind boordevol chromosomen van oudtantes.

Het hele familiealbum wordt weer levend in deze schattige baby: al die nare nichten en neven met hun uitgestreken tronies, waar je de complexen en de vooroordelen met lepels af kan scheppen, de vrouwen staande in crinolines, de mannen zittend met nauwe broeken en bakkebaarden, oudtante Kee en oudoom Koos, al die stijve beroerlingen staan als feeën om dit wiegje en hebben hun gaven alreeds geschonken. En niet zij alleen – zij waren althans fatsoenlijk – maar de anderen, die niet in het album mochten staan: de achterneef die niet deugde en weggewerkt werd naar Amerika, de tante die met ruisende zijden rokken het brede pad op ging en... o lieve help... de recente oom, die aan godsdienstwaanzin leed en luid loeiende door de beemden fietste. En dan niet te verge- ten onze schraapzuchtige overgrootvader, die weduwen uit- kneep! Ze begonnen allemaal met goudgele luiers. Wat er volgde in hun leven was niet zo goudgeel.

In de nevel van het verleden doemen de schimmen op van mottige betovergrootvaders. Ze zijn allerminst dood; door een gat in het zwerk staan ze te loeren en te grijnzen, nu ze zien hoe hun verwerpelijke chromosomen alweer emplooi gevonden hebben in dit schuldeloze blote kind.

'Kijk, hij lacht tegen je,' zegt mijn zuster. 'Wat sta je daar stom te kijken, zie je soms iets aan hem?'

Ik zie een heleboel, maar ik zal het haar niet vertellen. Wat ik allemaal zie aan de hand van het album... Als dit jongetje negentien is, zal hij op de loop gaan met 143 000 gulden van Publieke Werken, o, ongetwijfeld, dat heeft hij van die weg- gewerkte achterneef. Ik zal het niet aan mijn zuster zeggen, dat spreekt, maar ik zie het aankomen. Hoewel, hij kan ook aarden naar die avontuurlijke voorvader in zijn pofbroek, die met het Koggeschip meevoer om de Noord en door een ijs- beer werd opgevreten. Als hij die pofbroek-chromosomen heeft geërfd, wat dan? O, ik zie het alweer duidelijk voor me, dan valt hij uit een raket vlak bij de maan en wordt een klein bijmaantje, dat alsmaar rond blijft draaien. Wat vreselijk voor de moeder! Ze zal alle nachten met haar telescoop op een berg blijven turen naar haar lichtende zoon!

Och, misschien is het allemaal onzin, misschien lijkt hij gewoon op oom Jules en wordt een dikke moppentappende zakenman. Hij kan ook nog cocaïne-smokkelaar worden of een eenzaam mompelende strandjutter. Ook kan hij nog voorzitter van de PvdA worden, of kunstenaar zonder subsi- die met galsteen.

'Ja, wat lacht hij toch lief,' zeg ik dan, wat bleek om de neus.

En ik vertel maar helemaal niets van al die visioenen. Mijn zuster heeft gelukkig geen visioenen. Nee, gelukkig krijgt ie-

dere moeder gratis bij de baby een gebloemd gordijntje gele-
verd, dat ze zachtjes toe kan schuiven tussen hem en de toekomst.

6-9-1951

Hoeveel zaliger is het te geven

Midden onder het stofzuigen werd er gebeld. Een pakket, waaruit twee oren en twee lange pluche voeten staken. Het was niet moeilijk te raden, wat erin zat en van wie het kwam: we hebben een kennis, die Van Buffelen Ganzeneb heet, die een jacht heeft gepacht, en die het surplus aan hazen en everzwijnen per post onder zijn vrinden verspreidt.

Mijn eerste gedachte was: Ach, is ie dood? Zou er niets meer aan te doen zijn? Een dierenarts bellen? Maar wie twee dagen in een postpakket heeft gezeten, is wel dood; het beest rook ook dood.

Ik zal hem begraven, dacht ik. In het plantsoen. Schoolkinderen zullen chrysantjes op zijn grafje zetten en we zullen zingen van: 'Lief hazehartje'.

Toen mijn man thuiskwam, zei hij: 'Ha, bout!' en begon op slag te watertanden. Hoe iemand watertanden kan bij het zien van een in weerloosheid gedood schepsel, het is mij een raadsel. Het bewijst alweer, hoe veel grover mannen zijn dan wij.

'Geschikt van Van Buffelen Ganzeneb,' zei hij. 'Je moet 'm mijn moeder laten klaarmaken, die kan dat prima!' En hij staarde smakkend in het verleden.

'Je moeder komt er niet an!' zei ik schril. Zijn moeder iets klaarmaken, ja, dat ken ik. Hutspot kan ze ook zo prima. Ze zet het voor hem neer met een blik van: hier jongen, stumper, zeven jaar lang heb je háár varkensvoer moeten vreten, goddank dat je moeder je nog eens wat mag toestoppen. Ik begreep dat de haas, dood als ie was, knaagde aan de pijlers van ons huwelijk. 'Ik zal hem zelf braden,' zei ik. 'Volgens een Frans recept, met bourgogne en champignons en...' Ik voelde dat het water me in de mond kwam.

Nu volgde de kwestie: wie zullen we vragen. 'Die haas is voor zes personen,' zei mijn man. 'We moeten er echt een etentje van maken. Heb je een braadslee?' Natuurlijk weet een man na zeven jaar niet of zijn vrouw een braadslee heeft.

'En of,' zei ik. 'Ik heb een braadslee voor twee herten.'

'Wat denk je van Arnold en Lies,' vroeg hij.

'Zou het daar wel aan besteed zijn?'

'Dan de Van Elferens.'

'Die zijn toch niet meer bij elkaar?'

'Hè? Wat bedoel je, niet meer bij elkaar?'

'Precies wat ik zeg. Hij woont toch nu bij hoe-heet-ze?'

'Je bent gek! Ik ga ze meteen opbellen.'

'Ja, doe dat vooral. Zeg dan: Als jullie nog bij elkaar zijn, krijg je haas, zo niet, krijg je geen haas.'

'Best,' zei hij, 'dan vraag ik gewoon Jan Klaverheim en de Terpstra's.'

'Je doet of het een prachtcombinatie is.'

'Ik vind het ook een goeie combinatie.'

'Ik vind het een rotcombinatie', schreeuwde ik. 'De Klaverheims lezen *De Groene* en de Terpstra's lezen *Elsevier*.'

'Daarom kunnen ze toch wel allebei haas lusten?'

'Ja, maar ze krijgen er ruzie over en de vrouwen hebben maar één gesprek, gezwellen en magnetiseurs, en dat allemaal bij mijn haas!'

'Goed, goed... zeg jij het dan maar.' Een uur lang speelden we met echtparen of het gekleurde blokjes waren. De echtparen deugen wel, maar de combinaties niet. Waarom trouwen mensen niet met z'n vieren, het zou zo handig zijn met het oog op hazen. Eindelijk voegden we ons in Arnold en Lies en de Terpstra's.

'Wanneer?'

'Morgen,' zei hij.

'Wat denk je, dat ik dat klaarspeel? De kamer moet gedaan, zilver gepoetst, ik moet op de grote was wachten, van alles lenen, van alles kopen, nee morgen over veertien dagen.'

'En de haas dan?' Hij had gelijk. Nog veertien dagen het lijk in huis, dat ging niet.

'Laat me eens even rekenen,' zei ik en nam een papiertje.

'Wat doe je toch?' vroeg hij.

'Die haas kost ons driehonderd gulden,' zei ik en rekende hem voor: 'Moccakopjes, compoteschoteltjes, Truus om te helpen, de poelier om te villen, wijn, boter, sigaren, vruchten, borrels, zoutjes... en een jurk.'

We keken elkaar aan. Even later stond ik bij Arnold en Lies op de stoep.

'Ik kom jullie een verrassing brengen,' zei ik.

'O maar wat ontzettend aardig,' zeiden ze, terwijl ze de pluche poten aanpakten.

Teruggaande bedacht ik, hoe zij nu het hele scala van hazekoortsverschijnselen door moesten.

En hoeveel zaliger het is te geven dan te ontvangen.

22-11-1951

In die eerste maanden zit het

Vroeger zeiden ze: De opvoeding in de eerste vier jaren van iemands leven is beslissend voor zijn karakter en zijn hele verdere houding. Nu heet het al: Niet de eerste vier jaren, maar de eerste vier maanden zijn beslissend voor het hele leven, en het is zo belangrijk dat de moeder applaudisseert bij alles wat het kind doet!

Als het zo doorgaat, zal over een poosje in alle psychologische werken staan: De eerste vier minuten na de geboorte bepalen het hele verdere leven. Dat wordt dan voor de opvoeder wel kort dag.

Maar nu gaat het dan nog om de eerste vier maanden en het schijnt er geen steek meer op aan te komen, wat er op latere leeftijd met je gebeurt. Iemand kan schipbreuk lijden, jaren op een vlot dobberen, aan wal spoelen in de rimboe, herhaaldelijk op een adder gaan zitten, acht nachten in een boom hokken met een kring hongerige tijgers aan de voet, terugkeren en met een tang van een vrouw trouwen, en als hij dan zenuwachtig is, zullen zijn vrienden de koppen bij elkaar steken en zeggen: 'Ach, wat zit hij in de knoop! Waarschijnlijk heeft, toen hij tien dagen oud was, zijn moeder uit het raam gekeken toen hij een windje liet.'

Het is namelijk helemaal niet meer bon-ton om iemands knoop in het meer recente verleden te zoeken: alles wordt op die prille tijd teruggeschoven.

Maar het hele huwelijksleven dan? Zou het er helemaal niet meer toe doen of een vrouw ook nog een beetje applaudisseert en haar man toejuicht? Die lieve meneer Smit van hiernaast zal toch ook wel een klein beetje gevormd zijn door zijn vrouw in de laatste twintig jaar. Zij zegt altijd:

'Mijn man? Frits? Laat die maar schuiven; hij heeft het hele departement achter zich. Zo flink is ie, hè, en zo handig. Hij hoeft maar zó te doen en ze vliegen voor 'm en het konijnehok heeft hij ook helemaal zelf getimmerd!'

Zij ziet hem nog steeds als een held en in het zonnig aureool dat ze om hem heen spint, beheerst hij departementen en konijnehokken, dat is voor haar allemaal één toet mem, haar Frits kan alles en hij moet nodig een standbeeld. Zo iets zal toch wel invloed op de lieve meneer Smit gehad hebben. Nou ja, groot is hij er niet van geworden, maar wie weet is hij daardoor zo lief.

En als je nu Thea, onze vriendin Thea, eens over haar man hoort. Ze komt vertrouwelijk praten, buigt zich naar me over en zegt met ogen die donker zijn van verdriet: '...En hij neemt altijd het grootste stuk koek 's zondags, niet dat het *belangrijk* is, hoor, maar het is zo *typerend*!'

Als Thea zo iets zegt, is mijn eerste reactie: De bruut! De ellendeling! Ik zie het voor me... Zondagmorgen... de Triangel door de radio en de kinderen hunkerend naar de schaal met koek, en hij, de man en Vader neemt het grootste stuk. Ik zou naar zijn kantoor willen hollen om daar de ruiten in te slaan, hard schreeuwend: 'Beul! Moordenaar!'

Maar later, als Thea weg is, denk ik: Je zult toch een vrouw hebben die twintig of dertig jaar lang zorgvuldig oplet welk stuk koek je neemt! En die haar kinderen zwijgend, maar duidelijk laat merken: Kijk eens, mijn bloedjes, pappa neemt alweer het grootste!

Of je vrouw je als een held ziet, dan wel als de man die altijd het grootste stuk koek neemt, dat moet toch wel enig verschil maken bij iemands houding in het leven.

Maar goed, als u blijft volhouden dat het allemaal in die vier eerste maanden zit, mij best. Ik ben geen psycholoog.

7-3-1952

Langs natuurlijke weg

Ergens in Finland woont een juffrouw die om deze tijd van het jaar met bitterheid en weerzin aan Holland terugdenkt. Ik veronderstel het tenminste.

Ze was in Holland en studeerde hier euritmie, waarom, dat begreep geen mens. Ze bewoonde in ons pension het hele hoge, hele kleine dakkamertje, waar ze net in kon. Ze was dun, beige en stroef en niet in het minst olympisch, hoewel ze uit Helsinki kwam. Wij wilden haar allemaal graag een beetje in het lamplicht halen en daarom zeiden we tegen elkaar: 'Met Sinterklaas moet juffrouw Kietelkee er ook bij.' Ze heette niet helemaal Kietelkee, maar het klonk wel zo.

Die Sinterklaasavond werd precies als alle Sinterklaasavonden: eerst wilden we er niet veel aan doen, maar 's middags trok iedereen zich terug op zijn kamer, met pakpapier en touw. Tegen de kinderen zeiden we: 'Ook iets maken voor juffrouw Kietelkee! Aardig zijn voor Kietelkee.' Ze beloofden het en maakten er een liedje van: 'Aardig zijn voor Kietelkee'.

Met heel veel moeite probeerden we haar uit te leggen wat er allemaal zou gebeuren, maar ze verstond maar een paar woorden Engels en verder alleen Fins. En toen het begon, met veel lawaai en gezang, begreep ze er helemaal niets van. Ze begon in een big van zeep te bijten, keek ons aan en at uit beleefdheid verder; waarschijnlijk dacht ze dat dit een specifiek Hollandse versnapering was.

Toen er ineens een bisschop de kamer binnenkwam met een negerjongen, beheerste ze zich uitstekend. Wij waren allemaal ernstig, het werd bladstil in de kamer en zij dacht dat dit een religieus gebeuren was, ze zat er devoot bij, bereid om in een hymne uit te barsten, zodra dit vereist mocht blijken. Ze begreep natuurlijk niet waarom die bisschop met pepernoten naar haar smeet.

Hij vertrok, nagezongen door de kinderen en toen kwamen er de surprises met lange lappen closetpapier, met voetzoekers en gedichten en briefjes die ons het hele huis door stuurden. De vloer was bezaaid met grote fladderpapieren en de herdershond Tommy kwam in een delirische staat van verrukking en beet overal in.

Eindelijk kwam het pak voor Kietelkee. Natuurlijk hadden de kwajongens iets met stroop bedacht. Toen zij het buitenste papier eraf had gewurmd kwam er een kleverige bruine massa te voorschijn. Ze legde het pak onmiddellijk opzij en knikte ons dankbaar toe. Nee, nee, beduidden wij haar. Openmaken! Verder gaan. Met de moed van de helden uit de *Kalevala* ging ze door, nadat ze eerst haar briljanten ring had uitgedaan. Na een poosje zat ze van top tot teen verward in het strooptouw, tot grote vreugde van de kinderen.

Het kleine jongetje dat naast haar zat, kreeg zo'n vreselijk plezier, dat hij zijn buikje moest vasthouden. In zijn brooddronkenheid gooide hij de briljanten ring naar boven. Hap! zei de hond. Er kwam een verschrikt gegil en gejoel. Juffrouw Kietelkee begon boos en haastig een heleboel te zeggen in het Fins en ze wees wild op de hond. Wij probeerden haar te sussen. We zeiden dat het wel weer in orde zou komen. Morgen! Tomorrow!

We probeerden haar uit te leggen dat het 'langs natuurlijke weg' wel in orde zou komen, maar wat was 'langs natuurlijke weg' in het Fins?

Maar ze wilde niet getroost worden. Ze klampte zich aan Tommy vast en wilde hem geen ogenblik meer loslaten. Met het Sinterklaasfeest was het ineens afgelopen.

De hond moest worden uitgelaten, maar juffrouw Kietelkee stond erop om mee te gaan. Het kan nog niet zo gauw! schreeuwden we tegen haar, maar ze begreep het niet. Ze wilde ook bij de hond slapen in de bijkeuken.

De volgende morgen vonden we Tommy welgemoed en haar uitgeput, waarschijnlijk had ze de hele tijd naar hem gekeken. Hoopvol gingen we de hond uitlaten aan een lijn. Maar dat was het afschuwelijke: zolang hij aan die lijn zat, wilde hij niets doen. We moesten hem even loslaten en hij dartelde de gracht op. Kietelkee achter hem aan, schreiend. Toen hij eindelijk ging zitten had hij een stoet van belangstellenden om zich heen. Helaas, niets.

Het werd een vreselijke dag, vooral omdat juffrouw Kietelkee maar niet afliet zich aan Tommy's staart vast te klampen. We hebben haar eindelijk met de hond alleengelaten op het plat. Pas 's avonds laat kwamen zij er samen verkleumd vandaan. Maar zij straalde van triomf. Ze had de ring terug.

Heel kort daarna is ze teruggekeerd naar Finland, maar ik vraag me nog altijd af, hoe zij het daar verteld zal hebben.

4-12-1952

Ik doe er al zo lang mee!

Het zit ons toch wel in het bloed... iets nieuws te willen hebben met Pasen. Iets nieuws, iets schoons, iets fris. De een wil schone plinten en een nieuw Brabants bontje voor de keukenkast, de ander wil een beige mantelpak.

Ik voor mij zou nou zo graag een nieuw gezicht willen hebben. Want het oude... goed het kán nog wel, hoor, het is niet om te zeggen: hoe durft ze d'r mee te lopen... maar weet u, ik doe er al zo lang mee. Sinds ik me kan herinneren zie ik dat gezicht al wanneer ik in de spiegel kijk. Vroeger was het jong. Nu wordt het al ouder en ouder, over een poosje wordt het misschien jeugdig, maar elke keer dat ik in de spiegel kijk denk ik: Kijk, daar heb je háár weer, met die kop.

Ik kan er natuurlijk weer eens nieuw hoedje bovenop zetten en een fris kraagje eronder, maar dat zijn lapmiddelen nietwaar?

Ik kan ook naar een schoonheidsinstituut gaan en mij deskundig op mijn gezicht laten slaan en een masker nemen en een make-up en al dat fraais meer, maar het blijft mijn gezicht. Die neus, waar ik nu al tientallen jaren tegenaan kijk en waar ik als kind al een minderwaardigheidscomplex van heb gekregen! Afschuwelijk toch, zo'n gezicht dat je zelf nooit zou hebben uitgezocht, zo'n gezicht dat je indertijd in de schoenen is geschoven bij wijze van spreken en waar je je leven lang mee toe moet. Je kunt het nooit meer ruilen, je kunt het nooit weer kwijt, je moet het altijd meedragen. Ik wil er eens helemaal uit... zeg je soms en dan vergeet je dat je datzelfde gezicht maar mee moet dragen, ook al ga je naar Tokio of Arnhem of de Balearen.

Er moest een winkel bestaan, een gezichten-winkel, waar

buitenop met vrolijke paaskleuren staat geschreven: 'Een nieuwe lente en een nieuw gezicht...'

Ik stap er binnen en zeg: 'Ik wou graag een nieuw gezicht, iets moderns en niet te duur.'

'Wat denkt u hiervan, mevrooi?' zegt de juffrouw. (Dames achter toonbanken zeggen vaak: mevrooi; waarom zou dat toch zijn?) 'Dit is buitengewoon voordelig. U kunt er de hele zomer mee doorlopen. Of dit, met die wipneus is ook altijd gewild...'

'Nee,' zeg ik dan, 'dat vind ik een beetje algemeen. Het mag wel ietsje duurder wezen.'

'O maar dan heb ik iets voor u,' zegt ze, 'een exclusief model met donker haar en sprekende ogen, een klassieke neus... een ietsje vampachtig ziet u wel, f 24,90, maar dan hebt u ook iets goeds. Iets bijzonders!'

'Tja,' zeg ik weifelend, '...tja.'

'En er is een sponsje bij voor het onderhoud,' zegt ze. 'Ditzelfde heb ik nog voor u met blauwe ogen.'

'Goed, ik zal het dan maar nemen,' besluit ik. Ik zet het meteen op. 'Pakt u het oude maar in. Daar kan ik 's avonds nog wel 's mee lopen.'

'Wilt u nog een aardig nieuw karaktertje erbij, mevrooi?'

'Gunst, verkoopt u ook karakters? Wat aardig.'

'O ja, we zijn ruim gesorteerd in karakters. Ik zal u de collectie tonen.'

'Wel... ik zou best een nieuw karakter willen; het mijne gaat alweer zo lang mee, het patroon verveelt me zo. Ja, laat u maar eens zien.'

'Dit bij voorbeeld,' zegt zij, 'is heel exclusief. Het is het zogenaamde altruïstische karakter. Daar zult u praktisch niemand mee tegen komen. Zeer apart.'

Ik stel me voor, hoe het zal zijn om een altruïstisch karakter te hebben. Dat betekent natuurlijk altijd 's morgens het eerste op zijn en eeuwig achter het net vissen en je de kaas van het brood laten eten en iedereen voor laten gaan...

'Nee,' zeg ik dan haastig, 'dat maar liever niet. Geeft u mij maar iets dat minder excentriek is, iets in het gewoon gezond-egoïstische.'

'Past u dan dit karakter eens even,' zegt zij. 'Zojuist aangekregen. Het is zonnig en zorgeloos, een tikje oppervlakkig, ziet u wel? En gegarandeerd zonder scrupules. Krimpvrij!'

'Goed,' zeg ik dan. 'Dat lijkt me geknipt voor deze tijd. Pakt u dat maar voor me in.'

Helaas... die winkel bestaat niet. Ik zal hoogstens een nieuw kraagje kopen, een andere kleur lippenstift, een strooien hoedje... en dan loop ik weer de hele zomer met dat oude gezicht dat me zo kan irriteren en daarachter dat oude karakter, dat me meterslang de keel uit hangt.

4-4-1953

Ze was gewoon te lang dood

Ik had nog één dag in Londen. 's Morgens voelde ik me als een kind dat rolmops met slagroom en lever en rozijnen, allemaal tegelijk wil eten. Maar men moet altijd kiezen in het leven en zeker in Londen. Het draaide er dan ook op uit, dat ik drie uur lang als een verschrikte vogel in de ondergrondse tegen de tralies op vloog, ettelijke uren langs winkels liep te darren om een paar kinderschoentjes te vinden (die hele leuke moderne van gevlochten riet) en eindelijk in het Brits Museum belandde.

Het Brits Museum kunt u zich voorstellen als drie Centraal-Stationnen bij elkaar, waarvan ieder perron is volgepropt met blote stenen Grieken, gevleugelde Babylonische stieren, Chinese vazen van jade uit de Tang-periode, de meest fantastische kunstschatten indertijd bij elkaar gegraaid door mannen uit het Britse Imperium, die als beloning daarvoor Lord zijn geworden. Het is allemaal gratis, je kunt er zó in, daarom vindt niemand er meer iets aan.

De schooljongetjes moeten erheen voor hun opvoeding, zoals overal ter wereld jongetjes naar musea moeten om hun de liefde tot het schone voor eens en voorgoed radicaal af te leren. Die dag was het paasvakantie en het was er vol van jongetjes die na twee kilometer blote Grieken zo boos en zo wanhopig keken, dat ik dacht: Ziezo, voor hen is het al weer gebeurd.

Twee sprongen er haasje-over bij een Egyptische mummie. Hun vader zei: 'Kalm-an' en 'Ho ho', maar hij had er eigenlijk schik in. Hij vond het niet oneerbiedig, dit haasje-over springen in nabijheid van een dode. Daarvoor was de dode al te lang dood.

Gek, dacht ik, wanneer je vijftig of honderd jaar dood bent, moet men nog eerbied hebben voor je gebeente, maar vierduizend jaar is te lang. Hier lag ze dan, de prinses Efri-Pte-en-nog-wat, keurig intact, gewikkeld in lappen. Het was onmogelijk om nog over haar te huilen. Het was zelfs onmogelijk om nog weemoedig te worden, zelfs al ging men zich indenken dat deze vrouw toch had geleefd, gelachen, bemind en geniest. Ze was gewoon te lang dood.

Naast haar in een schrijn lagen haar poederdoos, haar lippenstifthouder, haar rougedoosje en allerhand potjes van Elizabeth Arden uit die tijd. In een andere vitrine stonden haar tuingereedschap, haar huishoudelijke artikelen en dingen waarvan je zou zweren dat het asbakjes waren, maar ik geloof dat vrouwen toen niet rookten.

In die tijd geloofde je aan een hiernamaals, maar je kon het alleen beërven, wanneer je goed gesitueerd was en wanneer je al je tuinscharen, halskettingen, lingerie, paraplu's en pannen met eten liet mee-inpakken naast je gebalsemd lichaam. Wie daar geen geld voor had, ging voorgoed en definitief dood en werd met de regen weggespoeld. Een on-sociaal geloof dus, volkomen in strijd met de PvdA-gedachte. Die arme prinses Efri-Pte-en-nog-wat. Het is heel anders uitgekomen dan ze dacht. Ze had zich zo'n heerlijk hiernamaals gekocht en nu ligt ze daar met haar hele hebben en houden in het museum en de schooljongetjes spelen haasje-over om haar heen. Ze ligt te kijk en gratis, dat is nog het ergste. Uit het opschrift blijkt dat de archeologen het er niet over eens zijn, of ze de dochter was van Amenhoteb de zoveelste of van Toetmoses de vierde.

Ik ben toch maar blij dat wij niet een dergelijke dodencultus hebben. Gebalsemd worden als je dood bent, en alles meenemen... Ik zou bang zijn dat ik iets vergat bij het scheiden van de markt, mijn stofzuiger of mijn elektrisch kacheltje. Over vierduizend jaar zou ik worden opgegraven en ergens in een museum worden gezet. Hier ligt een vrouw genaamd Annie Schmidt, zou erbij staan. Het is onzeker of zij de dochter was van Karel de Grote of van Carel Briels. In elk geval was zij gehuwd met Hiëronymus van Alphen... O nee, het lijkt me erg triest om zo lang dood te zijn met alles om je heen.

Ik ging huiverend weg van de dode prinses. Een zaal verder vond ik de kinderschoentjes, waar ik in de winkels zo lang naar had uitgekeken. Moderne gevlochten kinderschoentjes. Ze waren van 2600 voor Christus.

10-4-1953

We maakten een prachtige toer

Reizen per auto is zo verrukkelijk. En wanneer men zelf geen auto heeft, waarom zou men dan niet gaan met vrienden die er wel een hebben? En dan de kosten delen, zoals wij het deden, het vorig jaar, met Fré en Wout?

Je moet – dat is een eerste vereiste – je moet goed met elkaar kunnen opschieten. Wel, dat konden we. We hebben een prachtige toer gemaakt door Frankrijk, een stuk Italië, Zwitserland, Duitsland... En Wout had net die kwestie achter de rug met de algemene Nederlandse commissie voor rijpere jeugdvorming, dus hij heeft er ons onderweg alles van kunnen vertellen.

Eerst reisden we naar Reims. Een aardige stad; we hebben er drie winkels van antiek koper gezien, want Wout houdt zo van antiek koper en hij vond het zo naar om alleen te gaan, dus gingen we mee. Trouwens in Chalons-sur-Marne bleek een enorme zaak van antiek koper te zijn en we hebben er gelogeerd in een klein hotel, waar Wout ons verteld heeft over de subcommissie waar ook een katholiek in moest. Maar als er een katholiek in was, moest er ook een christelijke in.

We bleven een paar dagen in Chalons, omdat Fré last had van haar maag en van duizelingen. We vroegen dus: 'Hoe is het met je maag, Fré?' 'Het gaat wel,' zei Fré, 'maar o, die duizelingen.' We gingen nog maar eens naar de winkel van oud koper kijken. Ze konden voor die subcommissie alleen maar Jansen krijgen, hij is christelijk maar hij heeft geen verstand van rijpere jeugdvorming dat weet iedereen, maar hij is per slot christelijk.

In een ruk zijn we toen doorgereden naar Valence, het was

een heerlijke tocht. Fré had steken in haar rug. 'Hoe is het nu met je rug, Fré?' Toen hadden ze in een kaderbijeenkomst ruzie gekregen met de landelijke bond van jeugdorganisaties op vrijzinnige grondslag; het was in Valence in de Provence, dat Wout ons dat allemaal uitlegde, over die ruzie. Maar omdat er in Valence geen enkele winkel met antiek koper was, die Wout aanstond, zijn we doorgereden naar Marseille. Daar waren er een heleboel. En erge mooie.

Eigenlijk hadden we ook graag de Rivièra gezien, nu we er toch zo vlak bij waren. Maar Fré kon niet tegen die blauwe zee; ze kreeg er altijd hartkloppingen van, daarom was het beter om binnendoor naar Italië door te steken. De bergen waren groots en indrukwekkend en dank zij Merelmans van de PvdA was de ruzie op de kaderbijeenkomst weliswaar beslecht maar er was wel een andere kwestie gerezen met de katholieken uit Tilburg. 'Hoe is het nu met je voeten, Fré?'

Wie had overigens gedacht dat er in Turijn zoveel aardige koperwinkels zouden zijn? Veel meer dan in Genève. Jazeker, het meer van Genève is beeldschoon met witte villa's en veel bloemen boven het blauwe water, maar het kwam natuurlijk niet te pas, dat die katholiek in de subcommissie zat te werken om er nog meer katholieken in te brengen. 'Zakt de migraine al wat, Fré?'

Enfin, in Duitsland waren niet veel zaken van oud koper. Erg jammer; misschien waren ze gebombardeerd. 'Fijn, dat die oorpijn ten minste over is, hè Fré?'

Wanneer u dubieus bent over uw vakantieplannen, overweegt u dan toch eens een reis met vrienden in hún auto.

Wij kunnen dit jaar met Annetje en Rien meerijden. Maar ik denk dat ik liever uit het raam ga hangen op een groot theeblad, met om me heen grootmoeders palm, een teiltje water met blauwsel en de hoogtezon, om de illusie compleet te maken.

17-4-1953

Want planten gaan bij mij dood

Wanneer ik oud zal zijn en mijn kinderen zijn de wereld in getrokken en mijn man zit te zeuren in de ene hoek en ik in de andere, dan zal ik een goudvis hebben. Of een kat. Of beide, maar plantjes zal ik niet hebben. Ik zal niet kunnen zeggen met een rimpelige glimlach: 'Die Aspidigrinoreus heb ik al zeventien winters overgehouden en moet je zien: weer nieuwe scheuten! En die Spiriofanaticus bloeit al voor de vierendertigste keer, willu een stekkie?' Dát zal ik allemaal niet kunnen zeggen; ik heb dan enkel een dooie geranium op zolder en een bosje hei op de schoorsteen. Want planten gaan bij mij dood. Als ze me zien gaan ze al dood.

Het is jammer; ik ben jaloers op al die vrouwen die gezellig keuvelend met een gietertje ronddraven, die altijd neuriënd aan plantjes friemelen, die uit het armoedigste, uit de goot opgeraapte verflenste plantje, nog een fraaie bloem weten te verwekken en die, mits ze de tijd hebben, zelfs een betonmolen in bloei kunnen krijgen.

Maar wanneer bij mij planten de drempel over komen, denken ze: Oooh nee! en ze beginnen onmiddellijk uit dépit geel te worden. Dan kan ik ze tot hun hersens in het lauwe water zetten, ze vol douwen met kunstmest, ze in het licht plaatsen, ieder aasje tocht van ze weghouden, het helpt allemaal niets: ze gaan verongelijkt dood.

Misschien voelen ze bij instinct dat ik ze beschouw als een groen decorum in mijn huis. Misschien voelen ze dat ik ze niet hartelijk liefheb. Men moet ze immers behandelen als kinderen, men moet immers met ze praten? Welnu, ik heb nooit de juiste toon kunnen treffen en nooit een onderwerp van gesprek kunnen bedenken.

Gingen ze dan nog maar rats-boem ineens dood, dan was het niet zo hartverscheurend, maar ze staan wekenlang te zieltogen met klaaglijke gezichtjes. Ze hebben heimwee, ze willen weg en als ze eindelijk zijn gesuccumbeerd, dan komen ze 's nachts bij me spoken. 'Ik heb je toch water gegeven,' zeg ik dan. 'Emmers!'

'Te veel...' zuchten ze spookachtig. 'Je hebt ons verzopen. En je hebt ons niet vertroeteld. Wij zijn kinderen...'

'Had ik je dan een lolly moeten geven,' roep ik boos. 'Ga weg!'

'Je hebt ons niet begrepen...' jammeren ze en hun dorre blaadjes ritselen door mijn droom.

Laatst kreeg ik een plant. Ik weet niet meer hoe hij heette. 't Was zo'n groene... Het was geloof ik een Schizofrenia hebreica, kan dat? Er was geen gebruiksaanwijzing bij en ik zette hem in de zon.

'Dat mag niet,' zei mevrouw De Wit. 'Die moet op het noorden.'

Ik zette hem op 't noorden. Natuurlijk begon hij na een paar dagen te mokken.

'Hij moet niet zoveel water hebben,' zei mevrouw De Waal.

Ik gaf hem minder water. Hij kreeg luis. Toen belde ik de bloemist op.

'Wat doe ik met luis?' vroeg ik hem.

'Het ligt eraan wie het heeft,' zei de man.

'Mijn plant heeft luis,' zei ik. 'De hm... de Schizofrenia hebreica.'

'Nooit van gehoord,' zei hij. 'Kan u er niet mee hier komen?'

Ik hees de plant achter op de fiets en reed naar de bloemenwinkel.

'Ooooh,' zei de bloemenman, 'dat is een doodgewone Phraecolenapitilia. Ik zal u precies zeggen wat u doen moet, er is niks aan. Die luis dat hebben ze vaak. Daar geef ik u wat voor. En dan 's morgens een beetje water op het schoteltje. In het licht zetten, maar niet in de zon. En niet te warm. Maar niet te koel vooral. En een beetje mest maar niet te veel. En is die aarde wel goed? Er mag geen kalk in zitten.'

Hij gaf een cursus van wel een half uur.

Toen zette ik de plant weer op de fiets en reed weg.

Achter mij hoorde ik de Phraecolenapitilia zeggen, heel zachtjes: 'Ik heb lekker luis. En ik wil niet op 't noorden. En ik wil niet op 't zuiden. En ik heb kalk in me grond. Ik ga toch dood.'

We kwamen voorbij een huis met een raam vol weelderige planten. 'Wil je hier?' vroeg ik hem.

'Jawel,' zei de Phraecolenapitilia.

'Daar dan,' zei ik. En ik zette hem te vondeling op de stoep van de plantenminnaars. En ik heb een bos tulpen gekocht, die rustig mogen sterven na een week, zonder dat ik er boze dromen van krijg.

8-5-1953

Dat had ik toen moeten lezen

Nu heb ik weer vergeten de timmerman op te bellen, dacht ik. Die plank in de keuken zit los, laat ik eraan denken. Maar drie minuten later hoefde ik er niet meer aan te denken: met een niet te beschrijven gekletter viel het ding op het theeservies en alle bussen met havermout, gemalen koffie en rijst vielen langs en over me heen, open op de vloer.

Ik ben ook zo aan vakantie toe, dacht ik, terwijl ik de gedroogde appeltjes uit mijn haar plukte; ik vergeet alles!

Met een lepeltje probeerde ik de koffie van de griesmeel te scheiden, maar ik hoorde mijn zoontje allerschattigst en tevreden kraaien op de gang: altijd een teken, dat hij óf het broodmes, óf een hoedespeld te pakken heeft gekregen.

'Wat doe je daar!?' Ik zag het al, hij had de wasmand in de badkamer leeggehaald en de inhoud stuk voor stuk schilderachtig in het portaal uitgestald. 'En nou gaan we het er samen weer netjes in doen,' zei ik geduldig-pedagogisch, maar het werd een heel wild spelletje en hij bracht alle sokken en overhemden naar de huiskamer, waar hij ze op de tafel etaleerde.

Toen werd er gebeld. Visite kan het niet zijn, dacht ik, terwijl ik boven aan de trap stond te wachten. Misschien de schillenboer?

Er kwam een heer naar boven. Hij droeg een bos seringen. Ik zag alleen zijn kruin en zijn schouders en ze zeiden me niets. Boven aangekomen hief hij zijn hoofd en keek me glimlachend en ietwat peinzend aan.

Toen voelde ik een koude schrik van uit mijn tenen omhoog kruipen. Deze man had ik jaren geleden onuitsprekelijk en hartstochtelijk bemind. Ruisende bomen en rode rozen en nachtegalen en hete tranen... mijn eerste, mijn grote liefde was Hij.

Maar de schrik werd veroorzaakt door het besef dat het klopte: we hadden afgesproken op dit uur. In een telefoonge-sprek, een paar dagen geleden had ik gezegd: 'Ja, het lijkt me reuze leuk om elkaar nog eens te zien, nou, dan een kopje thee woensdag?' Wel, en daar stond hij dan en ik... ik had het vergeten. Ik had het vergeten! Toen, jaren geleden had ik voor hem op mijn handen de Afsluitdijk over willen lopen! Toen stond ik wel vier uur lang mezelf op te schilderen wan-neer ik wist dat ik hem drie minuten zou ontmoeten! Czar-dasmuziek en lange, diepe gesprekken over Verlaine en avonden in mei als de bloesems zacht neerdalen...

En nu was ik vergeten dat ik een afspraak met hem had.

'O, daag,' zei ik. 'Wat leuk. Kom binnen.' Hij moest door de kussenslopen waden, ving nog een glimp op van de gries-meel op de keukenvloer en trad binnen, waar de hemden over de tafel zwierven.

'Het is een beetje rommelig,' zei ik. 'Mijn zoontje...'

'Ach, is dat je zoon?' vroeg hij, met het sentiment in zijn toon van: het had de mijne kunnen zijn, als het anders was gelopen...

We zaten tegenover elkaar. 'Wil je thee?' vroeg ik en ik bad in stilte: Laat hem nee zeggen. Maar hij zei: 'Graag.'

De thee ligt door het zout heen, dacht ik en ik ging naar de keuken na vooraf nog geroepen te hebben: 'Even zoet bij oom blijven!'

Oom! Goeie help. Dansen op het gazon in het maanlicht en 'Goodnight sweetheart'...

Toen ik terugkwam met de theepot en de twee kopjes die nog heel waren, zat het jongetje op ooms knie en wreef met een vuile sok over zijn bril. 'Niet doen, schat,' zei ik.

We dronken thee en ik dacht: Laat ik nu met een zachte innige stem over vroeger praten, om ten minste die mooie il-lusie nog zoveel mogelijk te redden. Maar de thee was zo bremzout, dat het er niet van kwam.

'Je hebt iets in je haar,' zei hij. 'Of hoort dat?'

Ik greep in mijn haar en had een gedroogd appeltje te pakken.

'Hé,' zei ik, 'hoe komt dát nou?'

'Dat kan zo gebeuren,' zei hij.

Er werd weer gebeld. Je zal zien, dat het de paus is, dacht ik wanhopig. Daar heb ik natuurlijk een afspraak mee.

Maar het was de pianostemmer. 'Ik kan u nou niet hebben,' zei ik.

'Ik ben al zevenmaal voor niets geweest?' riep hij. 'En u zei, het kon alleen vanmiddag!'

'Wacht u dan heel even op de gang,' zei ik. Ik was vergeten, dat hij zou komen.

Teruggekeerd in de huiskamer, probeerde ik nog eenmaal de juiste toon te vinden. De zachte, gelaten toon van mensen die weemoedig praten over vroeger. Maar ik voelde de pianostemmer buiten op de gang. Zijn ongeduld drong door de deur, straks zou hij de deur opentrappen en zich op mijn piano storten. Het maakte me zo zenuwachtig, dat ik wezenloos begon te kijken en in de ogen van mijn oude vriend zag ik de angstige veronderstelling: ze is ook nog een beetje idioot geworden.

'Ik stap maar eens op,' zei hij.

Pht... dacht ik toen hij weg was, en ik liet de pianostemmer los op het instrument.

En nu ik dit verhaal heb opgeschreven denk ik: Dat had ik tóén moeten lezen. Toen het net af was tussen ons.

22-5-1953

36

Dan weet Lientje het vast

Meneer Jansen is verliefd op zijn secretaresse. Ze heet Lientje. En zij op hem. Ze bewondert hem zo. Het is een groot ongeluk voor haar, voor hem en voor zijn vrouw, want driehoeksrelaties zijn zelden zo fonkelend amusant als de toneelschrijver Noel Coward het ons wil voorspiegelen in zijn komedies.

Een groot geluk is het alleen voor de toeschouwers die in groten getale aan de kant staan (ongezien maar daarom niet minder reëel). Zij volgen het schouwspel maandenlang en genieten er innig van. Wie van de twee vrouwen zal het winnen? Het is als een roeiwedstrijd; soms ligt mevrouw Jansen met een bootlengte voor, dan weer de secretaresse Lientje. Als ze wisten hoeveel toeschouwers er waren, zouden ze de strijd opgeven, maar wanneer men zelf in zo'n wedstrijd is gewikkeld denkt men dat niemand er iets van weet.

Ze hebben allebei geduchte krachten. Mevrouw Jansen heeft de Band (er is nu eenmaal een Band, nietwaar?), Lientje heeft de Liefde.

Beide kanten hebben hun supporters. De supporters van mevrouw Jansen vormen te zamen het machtige getrouwde-vrouwen-front, met achter zich als een bergmassief de moraal. De supporters van Lientje komen op voor de vrije ethiek en de llliefde met een driedubbele l.

Merkwaardigerwijze hebben beide partijen een geringschatting voor meneer Jansen. De ene kant vindt hem gewoon een verwerpelijk man. Zo iets komt niet te pas, zeggen zij met zuinige mondjes, hij heeft zo iets niet te doen. En ze vergeten dat er een woord bestaat: Als wij onze hartstochten overwinnen ligt het minder aan onze sterkte dan aan hun zwakheid. De andere kant vindt hem een sul, omdat hij zo lang traineert, omdat hij niet kan kiezen en de knoop maar niet doorhakt, en ze vergeten dat je niet zo gauw een knoop doorhakt, waar je zelf middenin zit.

In elk geval hebben de stuurlui aan de wal een heerlijke tijd.

Misschien zou het erg gezond zijn, als die drie te zamen werden opgesloten, in een kamer en te zamen moesten luisteren naar het afdraaien van een band waarop alle gesprekken van de kennissen zijn opgenomen. Wanneer ze dat een middagje hadden aangehoord, zouden ze waarschijnlijk alle drie op een onbewoond eiland gaan zitten, maar elk op een ander eiland, een jaar lang.

Het is zo jammer in dit soort gevallen dat mevrouw Jansen en Lientje niet eens met elkander kunnen praten. Het kan niet, ik weet het, het is uitgesloten en het heeft nooit zin zo iets voor te stellen; evengoed kan men twee poema's verzoeken dit kleine karbonaadje nu eens lief samen te delen.

Maar het is erg jammer, want mevrouw Jansen weet zoveel over haar man, dat Lientje nog niet weet. Mevrouw Jansen zou misschien een schriftelijke cursus kunnen beginnen en het manuscript in afleveringen aan Lientje toesturen. Ze kan daarin opschrijven om te beginnen al de verhalen die haar man gewend is te vertellen, uit zijn jeugd, uit zijn diensttijd en uit zijn Utrechtse tijd, dan weet Lientje het vast. Wanneer meneer Jansen dan opgewekt begint met zijn verhalen, hoeft het al niet meer. Lientje heeft ze al gelezen.

Verder kan zij nauwkeurig optekenen alles over zijn gewoonten na tien jaar huwelijk, en wel in hoofdstukken: Het zwijgen. De krant. De ochtendstond. Zondagmiddag. Geld. Het uitgaan. Geld ii. Enzovoorts. En Lientje maar lezen.

Het zou er beslist geen kwaad aan doen.

29-5-1953

'Ga fijn mee zeilen,' zeiden ze

'Ga fijn mee zeilen,' zeiden mijn kennissen hartelijk.

'Nee dank je,' zei ik, net zo hartelijk, want ik dacht aan mijn jeugd.

Toen ik nog pril was, zeiden de mensen ook: 'Kom, ga mee zeilen in de vakantie! Heerlijk veertien dagen op de Friese meren!'

Há ja, dacht ik toen en ik zag het voor me als op een plaatje: blauwe meren en wind en zon en een wit bootje en mijzelf slank en rank met een zeilbroek in het want!

Maar ten eerste regende het alle veertien dagen. Ik werd zo nat, dat ik elf en halve maand nodig had om weer op te drogen. Ten tweede was ik zo onhandig. Ik zat altijd op een touw dat ze net hebben moesten en waaraan ze weer zo nodig moesten trekken. Ten derde kwam er altijd een moment dat ze riepen: 'Pas op, we gaan gijpen!'

Hee, dacht ik dan, wat is dat ook alweer, gijpen... zou het leuk zijn?

Maar voor ik kon bedenken wat het ook alweer was, kwam er iets met een ontzaglijke dreun tegen mijn hersens. Dat was dan de giek of de gaffel of de giekel of de bakslag of hoe dat dan heten mag. En wanneer ik daarna wezenloos lag te zieltogen op de bodem van het schip, dan riepen ze kwaad: 'Sufferd, we hebben het nog zó gezegd... we hebben toch geroepen: "Hij gaat gijpen!"'

Alleen als het heel erg hard regende, dan hoefden we niet. Dan gingen we naar een bevriend landhuis, waar ze urenlang Bach op de grammofoon speelden. 'Heerlijk, Bach,' zeiden de anderen en ik zei ook: 'Ja, heerlijk Bach.' Diep in mijn hart vond ik het net twee rechts twee averechts, en na drie toeren verspringen. Maar ik heb het nooit durven zeggen, zoals ik ook nooit durfde te zeggen dat ik dat zeilen ergens diep in mijn hart zo akelig vond.

Wat is dat toch eigenlijk een nadeel van jong zijn. Je wordt altijd meegetrokken in het zog van je omgeving en je moet allerlei vaststaande dingen heerlijk en mooi vinden.

Pas als je ouder wordt – en dat is een van de goede dingen van ouder worden – dan kom je ergens op een rustpunt terecht, waar je breeduit kunt gaan zitten en eens eerlijk mag gaan bedenken wat je wel of niet mooi vindt. Dan mag je zeggen: 'Ik hou niet van zeilen, ik hou niet van Bach en wel van de Tritsch Tratsch Polka en van abrikozen op sap en van lekker zitten met de poes op schoot en niet van T.S. Eliot. Dáár dan!'

En dan zegt de omgeving: 'Aaaaah!'

Maar dan kan je dat niets meer schelen.

5-6-1953

U mag een wens doen. Gewoon!

Mevrouw De Wit zat even. Ze had de was in de soda gezet en nu zat ze even, en keek op de klok of het tijd werd voor koffie. Toen zag ze naast de radio een fee staan. Mevrouw De Wit wreef zich met een hand over de ogen en keek nog eens. Het bleef een fee. Zo eentje met glinsterende sterren op het gewaad, met lichtende haren en met een staf.

'Waar komt u voor?' vroeg mevrouw De Wit.

De fee aarzelde even. 'Ik... eh... U mag een wens doen,' zei ze.

'Bent u van de Ova-prijsvraag,' vroeg mevrouw De Wit.

'Waarachtig niet,' zei de fee. 'Volstrekt niet.'

'Dan zeker van het... kom hoe heet het... opinieonderzoek?'

'Wat is dat,' vroeg de fee.

'Daar vragen ze je ook van alles.'

'Maar ik vraag u niets,' zei de fee. 'U mag een wens doen. Gewoon!'

'Waar bent u dan van?' vroeg mevrouw De Wit. 'U moet toch ergens van zijn?'

'Hoor eens,' zei de fee kribbig, 'ik ben niet van de Ova en niet van iets anders, ik ben gewoon een fee. Dezelfde als die van Assepoes, als het u interesseert.'

'Als het u om geld te doen is,' zei mevrouw De Wit, 'ik heb al gegeven voor de kinderkolonie.'

'Het is me niet om geld te doen,' zei de fee.

'O, gaat u dan maar zitten.' De fee zat, op de tafel.

'Nou en...?' vroeg de fee.

'Wat bedoelt u...' vroeg mevrouw De Wit.

'De wens,' zei de fee geduldig. 'Wat wilt u het liefst? Een blonde prins?'

Mevrouw De Wit keek haar kippig aan. 'Mijn man is bij de rijksverzekeringsbank,' zei ze.

'O,' zei de fee. 'Maar dan eh... een huis! Een landhuis op de Veluwe...'

'De Veluwe,' zei mevrouw De Wit. 'Dan moet m'n man op en neer!'

'Hier in de stad dan,' zei de fee. 'Zegt u het maar. In de Irislaan.'

Mevrouw De Wit begon dromerig te kijken. 'Is het een gedeelte van een woning,' vroeg ze.

'Een heel huis,' zei de fee. 'U mag zelf zeggen hoe groot. Zeven, acht, tien kamers?'

'O, daar laten ze ons niet in,' zei mevrouw De Wit. 'Daar krijg ik geen huurmachtiging voor. O nee.'

De fee zuchtte. 'Wat denkt u van Geluk?' vroeg ze.

'Hoezo geluk?' vroeg mevrouw De Wit.

'Gewoon geluk,' zei de fee. 'U wenst gelukkig te zijn. Dat bent u dan.'

'Waarvóór ben ik dan gelukkig?' vroeg mevrouw De Wit argwanend.

De fee draaide zich om en liep langzaam naar het raam. 'Dan ga ik maar,' zei ze. 'Maar wacht... Geld mag u ook wensen. Honderdduizend gulden?'

Nu werd mevrouw De Wit beslist ongemakkelijk. 'Wat voor praktijken zijn dat,' vroeg ze kil.

'Heus,' zei de fee smekend, 'u krijgt het zo maar, zo maar!'

'En hoe moet ik dat verantwoorden voor de belasting,' zei mevrouw De Wit. 'Die zijn nogal niet precies.'

'Ik weet het,' zei de fee. 'Een bontmantel. Nerts.'

'Een bontmantel...' fluisterde mevrouw De Wit. 'Nerts... zei u?'

'Nerts,' zei de fee.

'En als mijn man thuiskomt,' zei mevrouw De Wit, 'wat moet ik dan zeggen? Moet ik dan zeggen: "Kijk Karel, van de fee gekregen"? Zegt hij: "O, van de fee gekregen, juist ja."'

Nu was het geduld van de fee uitgeput. Ze werd spierwit van woede. Ze kreeg een driftbui, wat maar hoogst zelden voorkomt bij feeën. Ze kwam een paar passen naderbij en het zag ernaar uit, dat zij mevrouw De Wit in een paard wilde gaan veranderen.

'Wacht even... eh... juffrouw,' riep mevrouw De Wit half huilend. 'Geeft u mij maar een nieuw pannesponsje. Zo'n rond koperen pannesponsje, weet u wel?'

De fee stond stil. Ze zwaaide haar toverstaf; toen vloog ze weg door het raam. Mevrouw De Wit staarde haar na en zag haar zilverig zweven boven de antenne van het huis aan de overkant.

Eindelijk ging zij van het raam weg. Op tafel lag een pannesponsje, zo'n rond koperen. Ze pakte het op en hield het heel lang in haar handen. Heel lang, terwijl ze door het raam naar buiten staarde.

28-8-1953

43

Ze heeft het volkomen verknold

Mijn moederinstinct zegt me dat ik het kleine jongetje zijn gang moet laten gaan en dat ik niet de hele dag moet zeuren: nietdoen, nietdoen, nietdoen, magniet, magnietmagniet, nee nee nee...

Trouwens, dr. B. Overhoofd, van het boekje *Het zich ontwikkelende kind*, zegt het ook. En als mijn instinct en dr. B. Overhoofd het beide zeggen, moet het wel waar zijn.

Maar ja, kijk... als ik een moederbeer was met een klein berejong, zou het allemaal zoveel eenvoudiger zijn. Dan zouden we in Alaska door de bossen rollen met ons beidjes. Mijn jong zou mieren oplikken van een platte steen en dan zou ik niet tegen hem hoeven zeggen: 'Wil je dat wel eens laten... die vieze mieren in je mondje, bah!'

Maar mijn jongetje is een klein mensje en woont driehoog ergens met een hekje voor de trap weliswaar, maar midden tussen elektrische snoeren, teilen met sop, kannen met hete koffie, gaskranen, stopcontacten, hygiëne, open ramen, vooroordelen, flesjes wasbenzine en een moeder die is doodgegooid met Freud, Jung, Adler en dr. B. Overhoofd.

Daar loopt hij, mijn zoon, een cherubijntje met zachte blonde haartjes en een hangbroekje en hele kleine handjes en een hoop lef. Omdat hij nu kan lopen wil hij het de hele dag doen. En volgens de boeken moet hij zich nu bezighouden met in elkaar passende kubussen. Hij moet een eenvoudige toren bouwen en een wagentje met blokken voorttrekken. Wel, al dat materiaal is voorhanden. Hij heeft een kast vol Verantwoord Speelgoed, dat allemaal in elkaar past, en allemaal kan worden voortgetrokken. Hij heeft zoete konijntjes en zachte wollen muizen, waar alle volwassenen vertederd mee gaan spelen. Hij niet. Hij wil de zeepklopper, de vulpen, het elektrisch kacheltje en de jeneverfles. Nu op dit moment wil hij het krentenbrood uit de broodtrommel. Hij loopt ermee naar de wc met de bedoeling het daarin lang en lekker te soppen en het daarna op te eten.

Maar dat kan niet, er zijn grenzen, dat kán niet! Ik moet dus zeggen... nee, ik moet niets zeggen, ik moet hem afleiden. Maar hij wil niet afgeleid worden, niet met de zeepklopper en niet met de zwabber en zeker niet met blokken en beesten. Hij wil alleen maar het krentenbrood in de wc soppen en het daarna opeten. En als ik eindelijk zeg: 'Het mag niet', gaat hij op de grond liggen en trapt en krijst en loeit.

Daar heb je het al, denk ik. Ik ben een rotmoeder. Ik kan het niet. Ik doe het verkeerd. Nu op dit moment heb ik alweer iets aan zijn zieltje verknoeid. Nu op dit moment krijgt hij een neurose. En later, als hij vijfentwintig is, zal die neurose pas aan het licht komen. Dan pas zal iedereen zeggen: 'Wat een vreemde jongen is dat. Zo vréémd...' Want hij zal dan de postbode bijten. Of hij heeft zo'n angst voor prullenmanden. Of hij kan alleen maar slapen als er een vleessnijmachine aan zijn voeteneind staat... Al zulke dingen komen voor en altijd vinden ze hun oorzaak in een foute pedagogie.

En dan ineens zit hij heel zoet met twee broodkruimeltjes te spelen. Hij komt me er eentje brengen. 'Ta,' zegt hij verklarend en kijkt me stralend-blauw en zonnig aan. Misschien loopt het nog wel los, denk ik. Misschien toch geen neurose...

Maar van één ding ben ik zeker: later zal hij met zijn vriendin op een bank zitten en zeggen: 'Zie je Lies, mijn moeder... je weet het is een best mens, maar... ze heeft het wel volkomen verkeerd gedaan weet je...'

'Ja,' zegt het meisje begrijpend.

'Ik neem het haar niet kwalijk hoor,' gaat hij voort, 'maar... ze heeft het wel volkomen verknold, Lies. Al die moeilijkheden die ik met mezelf heb, hè? Nou die heb ik toch maar allemaal aan haar te danken.'

'Ja jongen,' zegt het meisje teer.

'Het lag misschien ook wel aan die tijd...' zegt mijn zoon, 'ze wisten toen nog niet zoveel van pedagogie, maar het was wel knots hoor, zoals mijn moeder me heeft opgevoed. In elk geval liefje...'

'Ja...?' zegt het meisje.

'In elk geval zullen wij het proberen beter te doen. We zullen ook fouten maken, hoor, hópen. Maar niet zulke stomme, weet je.'

En dan gaan ze zoenen. Ja, ja.

11-9-1953

Laat me één illusie houden

Wanneer ik driehonderd jaar geleden geleefd had, dan zou ik op een mooie nacht naar een Oude Wijze Vrouw gegaan zijn, die in het woud allerlei vieze kruiden kookte boven een walmend houtvuur.

'Goede vrouw,' zou ik gezegd hebben, 'goede vrouw, ik ben lelijk.'

'Ja, dat zie ik.'

'Brouw mij een zalf. Ik zal u mijn zilveren gordel geven en een beurs met dukaten. Brouw mij een schoonheidszalf.'

'Zet u neder, mijn dochter,' zou dat wijf gezegd hebben. 'Ge zijt op tijd, de maan is vol, het is middernacht; er vliegt een raaf naar het noorden. Zet u neder en wacht.'

Ze had een stuk of wat padden genomen, een alruinwortel en wat vleermuizebloed en ze zou aan het kokkerellen gegaan zijn, mompelend en prevelend.

In een aarden potje had ik het brouwsel meegenomen; thuis zou ik het op mijn gezicht gesmeerd hebben, stiekem vol vertrouwen en de volgende dag had ik uitgeroepen: 'Vermaledijd, het helpt!' Want wanneer men maar hard genoeg gelooft dat een smeersel helpt, dan helpt het.

Tegenwoordig zijn Oude Wijze Vrouwen die vleermuizeragoût koken bij maneschijn vrij zeldzaam. Hun functie is overgenomen door jonge opgewekte verkoopsters in kosmetica-zaken. Om haar heen staan duizenden potjes en luxucuze roze flesjes. Dagcream, nachtcream, ochtendcream. Cleansingcream, cleansingmelk, cleansingwater. (Nog geen cleansingthee, maar dat komt vast ook.) Daglotion, nachtlotion. Lotion om de poriën te openen, lotion om de poriën te sluiten... en hetzelfde geloof dat ons vroeger naar het paddenvrouwtje dreef, drijft ons nu naar deze illusiewinkels.

'Kijk mevrouw,' zei het knappe verkoopstertje, 'dit gebruik ik zelf, al jaren. Iedere avond op een wat. U zult eens zien, rimpeltjes weg, geen grove poriën meer, een volmaakt gladde huid.'

'Hoeveel kost het,' vroeg ik angstig.

'Negen vijf en zeventig, maar u doet er lang mee. En die cream moet u erbij nemen voor 's nachts. Die kost zeven vijftig.'

Wel, het was op dat moment geen volle maan. Padden en vleermuizen hadden hier niets mee van doen, maar op het flesje stond: Totale verjonging, de huid van Betty Grable in tien dagen.

'Pakt u het maar in,' zei ik. 'En de cream ook.'

En werkelijk, ik zwoer bij mezelf, dat het hielp. Ik verbeeldde me, dat ik dagelijks meer op Betty Grable ging lijken. Alleen die lotion... was zo gauw op. Binnen de week was ie op. En om nu tien gulden per week uit te gaan geven om op den duur op Betty Grable te gaan lijken... het werd een moeilijk probleem.

'Zeg,' zei ik tegen een vrind, die ergens op een laboratorium in oliën en vetten wroet, 'kan jij niet eens kijken wat hier in zit?' Ik gaf hem het restje.

'Hm,' zei hij. 'Ik zal het meenemen. Dat geurtje kan ik niet analyseren.'

'O, het gaat niet om het geurtje. Het gaat om de schoonheidswerking. Ik wil de bestanddelen weten... misschien zit er wel vleermuizebloed in.'

Hij bracht na een week het flesje terug. 'Het is alcohol,' zei hij. 'Verdunde alcohol, met een tikkeltje salicylzuur. En dan natuurlijk dat geurtje... en dat geurtje kan ik niet...'

'Nee,' onderbrak ik hem haastig, '...het gaat echt niet om het geurtje. Maar je weet zeker dat er niet... eh...'

'Nee,' zei hij, 'precies wat ik je zeg. Ik heb een hele fles voor je gemaakt. Hier, voor negenenvijftig cent. En als je meer wil hebben, zeg je het maar.'

Een hele literfles voor negenenvijftig cent...! Ik kon er voortaan een bad in nemen, als ik wou...

En nu heb ik er batterijen flessen van op mijn kast staan. Ik gebruik het af en toe. Maar de betovering is eraf. Ik geloof niet meer in het Wonder.

'Zal ik die pot cream ook voor je onderzoeken?' zei die vrind van ons.

'Eh... nee, dank je,' zei ik. Want ik dacht: Stel je voor dat het alleen maar aardappelpuree is. O nee, laat me nu nog één illusie houden.

15-4-1954

Dan weet u waar het van komt

Trouw nooit met een man die het jongste kind was thuis. Nooit doen! Dat zijn vreselijk moeilijke mensen. Ze zijn verwend, over het paard getild en daardoor egocentrisch; aan de andere kant zijn ze te veel op de kop gezeten door oudere broertjes en die conflicten hebben ongunstig gewerkt. Ze hebben het erg 'moeilijk met zichzelf' zoals dat heet. En ze zijn bijna altijd polygaam, dat komt ook daaruit voort. Ja hoor eens, hoe dat nou precies zit, dat weet ik niet. Daar moet u een boek over pedagogie over opslaan, daar staat het allemaal exact in.

Maar in elk geval, trouwt u dus liever met een... pas op, vooral niet een man die het oudste kind was van het gezin. Dat is echt funest. Deze mensen zijn jaloers, hebben een minderwaardigheidsgevoel, compenseren dat later altijd door een sterke heerszucht en bovendien zijn ze egocentrisch. Ze hebben conflicten gehad met hun jongere broertjes, waardoor er iets in hun zieltje is gekwetst. In een pedagogisch handwerk kunt u dat allemaal uitvoeriger vinden. Ze hebben ook vaak polygame neigingen en ze zijn 'moeilijk voor zichzelf'.

Veel beter kunt u trouwen met... nee liever niet met een man die de middelste was thuis, die dus nog oudere of jongere broers en zusters had. Ziet u, want dit soort mensen heeft het zo moeilijk in het leven. Ze zijn door hun oudere broer getreiterd, en ze moesten tegelijkertijd op hun jongste zusje passen waardoor ze een rancune gekweekt hebben, die u later allemaal op uw boterham krijgt. Ze hebben het meestal moeilijk met zichzelf en ze zijn nogal eens ontrouw.

Ik raad u dus liever aan: neem een man, die... nee, vooral

geen man die enig kind was. Want dit is een heel lastig soort lieden. Ze zijn egocentrisch; alles draaide thuis altijd om hén, en de gewone, gezonde conflicten met broers en zusters hebben ze altijd gemist. Daardoor zijn de lelijke kantjes er nooit afgevijld en die lelijke kantjes krijgt u allemaal aan het ontbijt, wanneer u met zo'n man trouwt. Ze hebben het zo moeilijk met zichzelf. En ze zijn niet altijd trouw ook, dat schijnt daaruit voort te komen, zeggen de pedagogen.

Al met al kunt u dus het beste een man nemen die... ja, nu is er niets meer overgebleven. U hebt gelijk, er is er geen meer over. Nou ja, ga uw gang dan maar en pik er maar eentje uit. Maar ik héb u gewaarschuwd. Later zult u merken dat hij moeilijk is. Misschien is het een troost voor u te weten waar het van komt.

13-5-1954

Gras

Ik weet niet of u wel eens grond gekocht hebt. Zo niet, dan raad ik u toch aan om het eens te doen. Nee, het hoeft niet een akker van tien hectaren te zijn, o nee, een heel klein stukje, ja misschien is één vierkante meter al voldoende.

Maar het moet wel buiten zijn. Niet in de stad. Dat is niet zo prettig, met al dat verkeer dat er dan omheen geleid moet worden. Buiten dus.

Ik geef toe, het is niet eenvoudig te beslissen waar dan wel. Daar had ik ook moeite mee. De wereld is verbluffend vol met stukjes grond, het een al boeiender dan het ander; er zijn erbij die glooien en er zijn erbij die zelfs rechtop staan. Maar wanneer men in Nederland wil blijven, wordt de keus beperkter. Op de meeste stukjes grond in dit land staat al iets.

Tussen twee vaarten heb ik iets uitgezocht, een klein lapje en ik heb het gekocht van een boer. En dat eigen stuk grond heeft mij juist dat gevoel van vrijheid teruggegeven, wat ik sinds mijn derde jaar totaal had verloren.

Dit is het, dacht ik, een mens moet grond hebben. Van grond krijgt hij zijn zelfvertrouwen terug. Hij moet grond hebben waar niemand hem van af kan slaan. Sterker nog, waar hij zelf wel iemand van af kan slaan. Dat is het.

Tot nu toe was ik een mens geweest in een stad met enkel een kattebak, maar nu had ik dat stuk grond. Dat van mij was, waar ik op kon gaan zitten. Waar ik op kon spugen. Waar ik een eik zou kunnen planten of een palm of van allebei een bosje; waar ik een sawa zou kunnen aanleggen als het mij beliefde, waar ik ganzen zou kunnen houden of wie weet pelikanen. Een plek op de wereld van mij alleen.

Soms ging ik erop zitten en met mijn handen groef ik er

een kuiltje in en als ik dan een worm zag kronkelen dacht ik: Kijk, dit is nu míjn worm. Ik realiseerde me dat al die grond, ook daaronder, van mij was. Hoe diep ik ook groef, het was mijn aarde. Tot hoever... vroeg ik mezelf af, tot hoever is die grond van mij? Tot aan de tegenvoeters in Nieuw-Zeeland? Nee, besloot ik, nee, die Nieuwzeelanders hebben wellicht ook grond gekocht. Zij mogen graven tot het middelpunt der aarde, ik ook.

Het stukje grond werd mij dierbaar, met z'n gras, z'n distels, z'n kevers en z'n mieren, die allemaal van mij waren.

En toen op een dag bleek dat ik in staat zou zijn met behulp van tal van hypotheken, leningen, herbouwplichten en subsidies daar een huis te laten bouwen, toen was mijn eerste gedachte: Wel, dat is dan prettig, maar wat jammer van die grond. Want wanneer erop gebouwd wordt, is het geen grond meer. Dan is het huis. Nou ja, er schiet nog wel een reepje over. Maar dat wordt dan border en border is niet meer echt grond.

Ik keek met weemoed naar mijn lieve lapje. Dat lapje waar ik zo vaak op ging zitten. Helemaal alleen in de zon, tussen die twee vaarten. En waar ik dan mijn handen zo liefkozend in die aarde kon begraven, of tussen het gras.

'Weet je...' zei ik, 'áls het dan moet, dan wil ik tenminste een huis bouwen zonder vloeren. Ik wil een huis van enkel muren – en tussenmuren natuurlijk, want er moeten toch kamers komen en een keuken – maar de grond moet zo blijven als hij is: gras.

Ik wil een huis met centrale verwarming en gele gordijnen en een antiek kastje en een moderne eettafel, maar alles op gras. Dan houd ik dat gevoel van "mijn" grond. Ik wil in de woonkamer petunia's zaaien bij het raam en die iedere dag begieten terwijl ik aan de lunch zit. En ik wil naast de eettafel een klein pereboompje planten. In het voorjaar zullen de bloesems zich dan over het ontbijtlaken buigen... zo heerlijk, een bloeiende pereboom naast je bordje, en in het najaar hoef ik voor het dessert enkel mijn hand uit te steken. En wat moet het verrukkelijk zijn om 's morgens uit je bed te stappen in het gras. Met je blote voeten in hoog zacht lang gras.

Nergens vloerbedekking nodig! Van dat probleem ben ik dan alvast af, want dat is altijd een probleem; iedere vloerbedekking is duur en bewerkelijk. Nu hoef ik nooit meer iets te boenen, nooit iets in de was te zetten, geen zeil... geen parket... geen matten. Dus geen stofzuiger meer nodig... niets van dien aard. Gras in de gangen. Gras in de badkamer, in de keuken, in de wc.

Misschien zou in de ontvangkamer het gras gemaaid moeten worden, dat zou iets gedistingeerder staan. En dan een klimroos aan de tafelpoot. En in de slaapkamer een ligusterhaag tussen de lits-jumeaux. Wat een mogelijkheden.

En ik zou op een mooie morgen tegen mijn hulpje zeggen: 'Wil je vandaag even de logeerkamer omspitten, Cobi, er komt een gast... en zeg, wil je dan even wat mest in mijn werkkamer gooien; ik heb zo'n gevoel dat mijn arbeid dan meer vruchten zal dragen.'

Het was een mooi plan. Maar ik heb het alweer moeten laten varen. Men heeft mij gezegd dat het niet gaat. Dat een huis op fundamenten gebouwd moet worden. Alsof er iets fundamentelers bestaat dan aarde. En gras.

16-12-1954

De toren van Babel

In mijn onschuld dacht ik, dat het bouwen van een huis een vrij simpele affaire zou zijn. Ze doen het al zo lang... dacht ik. Mensen bouwen al zo lang huizen. Zeker al tienduizend jaar of langer. Het is net zo iets als brood bakken, dat doen ze ook al zo lang. En bouwen... zo'n achtduizend jaar geleden maakten ze al heel ingewikkelde piramides, dacht ik. En de toren van Babel ook... nou ja goed, het ding is nooit afgekomen, maar nu zijn ze toch al weer zoveel verder en bovendien: mijn huis behoeft geen toren van Babel te worden, liever niet zelfs. Zo maar een huisje. Op de tekening die de architect voor ons gemaakt had, was het zo eenvoudig. Enkel maar een paar kamers, rechte kamers, naast elkaar en een plat dak. En geen kwestie van spitsbogen of beeldhouwwerken, of van torentjes of van kantelen of van koepels of erkers of koekoeksramen, zo maar recht toe, recht an een huis. Dat kon niet zoveel hoofdbrekens kosten, dacht ik.

Maar later heb ik zo'n spijt gekregen. Zo'n oprechte spijt, dat we het maar niet liever zelf hebben gedaan. Helemaal zelf, net als de vogeltjes. Van pluisjes en veertjes desnoods, van takjes en een beetje spuug en stukjes wrakhout en hier en daar een punaise. Het zou natuurlijk een kwestie van jaren geworden zijn, maar dat werd het nu ook. Want ziet u, voordat ze beginnen moet er eerst zoveel ruzie gemaakt worden.

Ik heb aldoor geprobeerd om mij erbuiten te houden, maar dat ging niet want per slot was het mijn huis.

In theorie is het zo: de architect maakt het plan en de aannemer neemt het aan. Maar in de praktijk blijkt, dat de aannemer wel aannemer heet maar niet zo erg grif van aannemen is. Het duurt erg lang voor hij alles wil wat de anderen ook willen. En toen iedereen het eens was, moest het plan naar de schoonheidscommissie. De schoonheidscommissie ging er gezellig mee in een hoekje zitten en bekeek het aandachtig gedurende zes maanden en zei toen: 'Nee, zo'n plat dak vinden wij niet zo leuk. Wij vinden een kap erop aardiger. En toen zei de architect: 'O, maar dan moet het hele plan anders.' En hij tekende een nieuw plan. Dat nam een paar maanden in beslag en daarna zei de aannemer: 'O juist, maar nu kan ik het niet meer aannemen.'

En de architect en de aannemer gingen elkander mokkend zitten aankijken en de zomer ging voorbij en het najaar ging voorbij en als wij het zelf hadden gebouwd met die veertjes en zo, dan hadden we al een heel stuk huis gehad en nu stond er alsmaar niets.

Ik liet het er niet bij zitten en ik smeekte en bad en jammerde en belde op en schreef brieven, maar ze bleven allebei mokken. Eindelijk zei de aannemer: 'Goed. Ik zal het doen. Alleen, de stenen zijn nu duurder geworden.'

Maar zo murw was ik geworden dat ik alles goedvond, als ze maar begonnen. En eindelijk was het zover. Er kwam een bouwput en er kwam een betonmolen. Dat was een duidelijk teken dat ze zouden beginnen, en bleek van aandoening stond ik ernaar te kijken.

Eén man stond erbij.

'Het gaat vriezen,' zei hij. 'Morgen vriest het.'

'En dan?' vroeg ik.

'Dan ligt het stil,' zei hij. 'Daar is niks aan te doen. Dan ligt alles stil.'

En de volgende dag vroor het. En de vorst hield een paar maanden aan. In die tijd was er ook geen ruzie. Maar toen het dooide begon de ruzie weer. Het bleek dat in die tijd de spijkers zoveel duurder waren geworden en ook de cement. En ze gingen elkander weer mokkend zitten aankijken.

Zie je... dacht ik. Al tienduizend jaar bouwen ze en het wordt toch nog altijd de toren van Babel.

6-1-1955

Wat zal ik blij zijn

Laat nooit een huis bouwen. Het duurt tientallen jaren voor het klaar is.

Men is oud voor het klaar is, oud, grijs, afgeleefd, moe en afgeknapt. Achteraf beseft men weliswaar dat het geen tientallen jaren geduurd heeft, nee, nauwelijks een jaar, maar dat ene jaar breekt u naar lichaam en geest.

Het ongeduld wordt steeds groter, het verlangen om aan die eigen ontbijttafel in dat eigen huis te zitten, wordt steeds brandender, de dagen slepen zich voort, er komt geen eind aan het wachten...

Ik betrapte me erop, dat ik hele uren achtereen uitriep: 'O, wat zal ik blij zijn als het dak erop zit.' En later: 'O, wat zal ik blij zijn als de deuren erin zitten.' En: 'O, wat zal ik blij zijn als ze gaan verven.' En: 'O, wat zal ik blij zijn als ze klaar zijn met verven.' Toen, tijdens die bouw, heb ik pas ontdekt hoe een eigenaardige zaak dat toch is, met dat blij zijn. Ik realiseerde me dat ons hele leven als een snoer kralen aan elkaar hangt van... 'Wat zal ik blij zijn als'.

Niet alleen met huizen bouwen, nee, aldoor roepen we: 'Wat zal ik blij zijn als ik die baan heb.' 'Wat zal ik blij zijn als die kies eruit is.' 'Wat zal ik blij zijn als die ijskast is afbetaald.' 'Wat zal ik blij zijn als m'n zuster er is.' En hebt u er wel eens op gelet, hoe kort dat blij zijn maar duurt? Maandenlang hebt u gezeurd: als die kies er maar eenmaal uit is, wat zal ik dan blij zijn. En als die kies er dan uit is, dan bent u hooguit drie kwartier blij. En als uw zuster er eindelijk is, na jaren, dan bent u één dag blij en de volgende dag begint u weer te denken: Wat zal ik blij zijn als m'n zuster weer weg is.

Misschien zit daarin wel het hele bedrog van het leven:

Wat zal ik blij zijn als ik op reis ben en wat zal ik blij zijn als ik weer terug ben. En dan schelden we nog op de kat die aan de deur krabt om eruit gelaten te worden en die een minuut later weer krabt om erin gelaten te worden. Wat doen wij ooit anders dan krabben aan duizenden deuren om erin en eruit gelaten te worden.

Deuren... zei ik. Het was met onze deuren een beetje wonderlijk. De voordeur namelijk lag een goede drie meter boven de begane grond. Dat kwam omdat ze het terrein eerst hadden afgegraven, om het huis te bouwen en het nu weer moesten ophogen. Dat afgraven hadden ze vlot en met wellust gedaan, maar van het ophogen kwam niets. Als we erin wilden moesten we over een steile wiebelige plank balanceren en soms, als die plank om een of andere reden verdwenen was, moesten we met touwladders in en uit. Het hinderde niet zo erg, zolang we er nog niet echt woonden, het was zelfs wel boeiend en toch konden we niet laten telkens te verzuchten: 'Wat zal ik blij zijn, als dat terrein is opgehoogd.'

Iedere middag hees ik me met veel halsbrekende toeren in het huis, zo: 's avonds tegen de schemering, als de werklieden weg waren, en dan ging ik voor het raam zitten, op een omgekeerde emmer, want dat was de enige stoffering van het interieur. Zo'n huis dat bijna, bijna klaar is, zo tegen de avond, heeft iets heel fascinerends. Ik sleepte de emmer beurtelings voor ieder raam en keek naar de uitzichten. Er was een uitzicht op drie schapen en een uitzicht op een koe. Ik zette de emmer midden in de huiskamer, ging erop zitten en ik zei: 'Wilt u nog een glaasje sherry?' Nee, dacht ik dan, hier klinkt dat niet zo goed, misschien moeten we de zithoek meer daar voor het raam vestigen. Dan sleepte ik de emmer weer een eindje verder: 'Wilt u misschien nog een glaasje sherry?' En dan ging ik weer uit het voorraam zitten kijken op de emmer. Daaronder gaapte de diepe afgrond. Hoe lang zou het nog duren, voor ze eindelijk dat terrein gingen ophogen. Maar... zo dacht ik, zou het eigenlijk niet veel aardiger zijn, als het níét werd opgehoogd? Misschien zouden we voor het huis een slotgracht kunnen aanleggen, met een ophaalbrug. Zou dat niet eindelijk het zo vurig gewenste gevoel van beslotenheid geven? En iedereen die dan op bezoek komt zou dit met een klaroenstoot van af de weg aankondigen. Dan zou ik uit mijn raam kijken en zeggen: 'O, die man ziet eruit of hij van de omzetbelasting is, nee, laat de slotbrug maar op.'

Ik raakte helemaal gewend aan de idee, terwijl ik zo uit het raam zat te turen.

'Hee...' klonk er een stem, ergens beneden op de weg. Ik boog me uit het raam en daar in de diepte stond een kruidenier. Een van de vierendertig kruideniers uit de streek. De andere drieëndertig waren allemaal al komen vragen of ze voortaan de klandizie mochten hebben, wanneer we er metterdaad zouden wonen, maar deze was nog nooit geweest.

'Hebt u altijd gemberkoek?' riep ik luid.

'Ja,' schreeuwde hij terug.

'Dan is het goed!' brulde ik. 'Kom dan het volgend jaar maar, als het huis klaar is.' Hij straalde van geluk en fietste verder. En ik dacht: Wat zal ik blij zijn als ik het eerste stuk gemberkoek in dit huis eet.

20-1-1955

Binnenhuiskunst

Ziezo, het huis is ingericht en wij met onze grotemensen-ogen vinden het erg geriefelijk en doelmatig en gezellig. Er zijn stoelen waar je op kunt zitten, vloeren waar je op kunt lopen, bedden om in te liggen en verder allerlei snoeren en dekschalen en gedichten van Rilke.

Nu is het echter zo merkwaardig dat kleine jongetjes en katten zo'n huis heel anders bezien dan wij en er ook op een totaal afwijkende manier gebruik van maken.

Wat de kat betreft: zij is komen aanlopen. Ze zat op een donkere avond voor de deur, in de regen. Toen we opendeden, kwam ze binnen met een fiere staart en een verongelijkt 'mauw', wat betekende: Had je niet wat eerder kunnen opendoen en waar is hier het toilet? Wij gaven haar een bakje zand en een bakje eten, dus de essentiële dingen voor een katte-existentie en vanaf dat moment beschouwde zij ons huis als het hare. Ze ging op de kapstok zitten en keek ondoorgrondelijk met amberen ogen naar alles wat daar beneden krioelde, en naar ons, die zich zo druk maken om allerlei nutteloos gezeur.

Als de dag begint, neemt mijn zoontje de poes bij de kop, stopt haar ergens onder z'n arm en sleurt haar mee de trap op. Achter hem sleept dan een eindeloos kattelijf en van voren kijkt een gelaten kattekop van onder zijn armpje uit. En toch blijft de poes spinnen.

Wij gaan dan hard schreeuwen en we roepen: 'Nee, niet doen.' En dan gaan we lange ethische betogen houden in de trant van: Die zoete poes, je doet haar pijn, en je mag de poes geen pijn doen want dieren voelen ook en als je het weer doet mag je niet meer met de poes spelen...

Dan kijken ze allebei schuldig. Mijn zoontje laat de poes los, maar twee minuten later zijn ze samen onder een logeerkamerdeken in het droge bad en spelen autobusje. Hij houdt haar opnieuw in een moordende greep, maar toch blijft de poes spinnen. En de poes, zij spinde voort...

Zo nu en dan wordt het me te bar. Dan ga ik die twee van elkander scheiden met geweld en dan gaan ze voor een ogenblik ieder hun eigen leven leiden. De kat wandelt dan in den hoge: langs richels en ribbels en balken, over leuningen en kasten en radiatoren; het is net alsof ze een weddenschap heeft afgesloten om nooit met de voetjes op de grond te komen. Ze vindt het een exquis genoegen om tussen de kopjes van het koffieservies te lopen en ons te horen hijgen van angst. Van daar uit strekt ze een elegante teen uit naar de klimplant en hipt dan, zonder één haar van de koffiekopjes te krenken, op de vensterbank, waar ze geruime tijd is geëngageerd in het kijken naar een luie wintervlieg.

En het jongetje heeft ook zo z'n eigen visie op het interieur. Hij rust niet voor alle meubelen in één hoek zijn geschoven, dan bouwt hij ze daar vol met pannen, het vergiet en de komkommerschaaf, en zo mogelijk een paar dekens, en dat alles smeert hij vol met plasticine. Hij heeft dit materiaal in alle kleuren en ik heb het hem zelf gegeven, omdat de psychiaters zeggen dat het zo goed is voor kleine kinderen en ze dan niets hoeven te verdringen. Wat de ouders dan allemaal moeten verdringen, daar houdt de psychiater zich niet mee op. Wel, van dat plasticine maakt hij grote platte koeken en kleeft die tegen alle meubelen en in 't algemeen tegen ieder voorwerp dat onder zijn bereik komt. Wanneer wij gezeten hebben en weer opstaan, lopen we de hele verdere dag met rode en blauwe plakkaten op ons achterwerk, totdat een voorbijganger zegt: 'Ik weet niet of u het weet, maar er zit iets aan u vast van achter...'

Ja, kleine jongetjes en katten bezien een interieur anders dan wij. Ze gebruiken de stoelen om over te lopen, de gordijnen om aan te hangen en eraan heen en weer te wiegen. Ze gebruiken de elektrische snoeren om joelend mee te spelen en de gedichten van Rilke om op te liggen.

En aangezien het jongetje en de kat de belangrijkste en de overheersende persoonlijkheden zijn in ons huis, vraag ik me af, of het wel zo verstandig is dat wij ons bij de inrichting hebben laten leiden door de ideeën in de etalages van een model-woninginrichting. En of wij ons niet veel beter een boek hadden kunnen aanschaffen: *Binnenhuiskunst voor katten en jongetjes.* Als zo iets bestaat. En als het niet bestaat, zal ik het binnenkort schrijven. In drie delen.

3-2-1955

Verhaaltjes

Als je drie jaar bent is het slapen gaan een ingewikkeld procédé dat uren in beslag neemt.

Daar is allereerst de vraag: Wat moet er allemaal mee? Het fietsje, dat spreekt vanzelf. En een autootje en nog een autootje en de kruiwagen. En het oude spoorboekje want daar staat ergens een heel klein autobusje in.

Wanneer mijn zoontje eindelijk in bed ligt, de haren van zijn kruin recht overeind en met vuurrode wangen boven zijn streep-pyjama, is het gezin totaal uitgeput. Maar hij nog niet. 'Nou moet je haaltje tellen,' zegt hij. 'En je moet hier zitten.'

'Goed. Waar moet ik van vertellen?'

'Van een bossing.'

'Nee, niet van een botsing deze keer.' Het is waar, hij luistert het liefst naar verhalen over botsingen tussen twee auto's of twee treinen, maar ik vind het zo weinig positief om hem uitsluitend met verkeersongevallen te voeden.

'Als ik jarig ben, tel je dan van een bossing?'

'Afgesproken, maar nou tel ik van een prinsesje.'

Hij gaat achterover liggen, zich verkneukelend.

'Er was een prinsesje en die speelde in de tuin. Met de bal.'

'Met de bal van oom Koos?'

'Met de bal van oom Koos.'

'En toen?'

'Toen was ze ineens de bal kwijt. En ze zocht overal. Ze zocht tussen de bloemetjes en achter de heg. En onder de bomen.'

'En in de sneeuw...' vult hij aan.

'In de sneeuw, o ja. Weg was de bal. Maar er was in de tuin

een put. En er kwam een kikker uit die put en die kikker zei: "Dag prinsesje." "Dag kikker," zei het prinsesje. "Ben je bijgeval je bal kwijt?" vroeg de kikker. "Jawel," zei het prinsesje. "Nou," zei de kikker. "Ik heb hem. In de put. Wat krijg ik van je als ik hem teruggeef?" "Dan krijg je mijn poes," zei het prinsesje. "Je poes?" vroeg de kikker. "Ha ha, wat moet ik nou met een poes? Een poes in de put. Ha ha!"'

We lachen allebei een kwartier om het voorstel van de prinses.

'En toen?'

'"Nou," zei het prinsesje, "dan krijg je mijn kruiwagentje en mijn brandweerauto en mijn spoorboekje." "Nee," zei de kikker. "Daar vin ik niks an." "Dan krijg je mijn potje," zei de prinses. "Potje?" riep de kikker. "Wat moet ik met een potje?" "Om een plasje op te doen," zei het prinsesje. "Ha ha," riep de kikker. "Ik doe nooit plasjes." "Wat wil je dan?" vroeg het prinsesje. "Ik wil in je bedje slapen," zei de kikker. "Bah," zei de prinses. "Ik wil niet in een bedje slapen met een vieze kikker." "Goed, dan krijg je ook je bal niet terug," zei de kikker. "Nou vooruit dan maar," zei het prinsesje. Toen nam het prinsesje de bal en ze liep er heel hard mee naar huis en ze sloeg de deur achter zich dicht en ze ging boterhammetjes eten met haar vader en moeder en toen werd er heel hard op de deur geklopt. En wie stond daar op de stoep?'

'Sinterklaas...' zegt mijn zoontje, heet van opwinding.

'Nee, domme jongen. De kikker! En de kikker zei: "Dat meisje heeft beloofd dat ik in haar bedje mag slapen." "Wel," zei de koning, "als ze het beloofd heeft moet het ook maar" en toen trouwden ze en de kikker veranderde in een prins...'

Maar hij luistert niet meer. Hij ligt met een vraag op de lippen: 'Doen kikkers geen plasjes?'

'Nee, kikkers doen geen plasjes.'

'Doen lammetjes plasjes?'

'Ja, lammetjes wel.'

'Doen monteurs ook plasjes?'

'Monteurs ook. En nu moet je gaan slapen.'

Zijn hoofdje ligt heel zoet en roze op het kussentje en zijn oogjes zijn donker van de slaap.

Ik doe zacht de deur dicht en ga weg. Even later hoor ik hem zingen, want hij zingt zichzelf altijd in slaap: 'Zie de maan schijnt door de bomen, makkes met u wild gestaak...' zingt hij. En daarna: 'O denneboom, o denneboom hoe staat het met uw takken.' Hij heeft nu eenmaal Sinterklaas- en kerstliederen geleerd, hij zal er wel mee doorgaan tot juni.

En dan ineens, heel hard: 'Mamma!'

Als ik kom aansnellen, zegt hij: 'Er is een tijger.'

'Waar?'

'Daar.' Hij wijst naar het voeteneind.

'Kssj! Weg tijger,' zeg ik.

En hij vraagt alleen nog: 'Als ik ziek ben de vorige dag tel je dan van een bossing?'

'Ja,' zeg ik. En met die belofte slaapt hij in.

24-2-1955

Ziek

Mijn zoontje is een beetje ziek, niet erg maar een heel klein beetje, en het komt, omdat de dokter hem vanmorgen een prik heeft gegeven. Dat was op zichzelf al een enorm vuile streek, zo'n man, die bijzonder lief en kameraadschappelijk met je praat en dan ineens je mouwtje opstroopt om met een naald plotseling en fel in je arm te prikken. Hij is er dan ook erg ontdaan van geweest en heeft wel een uur rancuneus zitten broeden in een hoekje, toen de verrader weg was.

En nu is hij dan een beetje ziek van die prik en ligt in bed met vage dronken oogjes. Hij wil niet luisteren naar het verhaal over de ophaalbrug en hij wil zelfs niet een groen zuurtje. En al z'n lef en drukte is verdwenen.

Ik ga een beetje lopen opruimen in de huiskamer en vind daar nog allerlei roerende sporen van zijn bedrijvigheid. De beer ligt onder een dekentje met zijn hoofd op een kussen; trouwens overal in huis zijn wonderlijke bedden ingericht; een voor het girafje en een voor de armloze pop en zelfs ligt er ergens één lucifer in bed, met z'n kopje op een kussen en toegedekt onder een lap. Wij zijn er nu aan gewend, maar eerst braken wij voortdurend bijna onze nek over de vele slaapsteden waarin de wollen wezens van ons huis waren neergelegd.

Kijk, daar onder de tafel vind ik zijn krentenbol. Alle krenten zijn er heel voorzichtig en vaardig uitgepeuterd.

Ik ga maar weer eens kijken, of hij soms zieker wordt. Hij ligt zo vreemd te hijgen en verder is hij zo stil en zo slap. Zou dit wel normaal zijn? Die dokter zal toch niet per ongeluk te veel serum in hem gespoten hebben? Of een heel verkeerd serum? Ik word opeens heel angstig. Zou ik die man durven opbellen? Nog even wachten, denk ik, maar als ik dan in de huiskamer voor het raam sta, zie ik allerlei afschuwelijke visioenen: de dokter handenwringend...: 'Mevrouw... het is mijn schuld niet... gelooft u mij... het kwam door de apotheek... ze hebben me het verkeerde gegeven... dat kan zo makkelijk gebeuren, nietwaar...?'

Ik breng mijn hand naar de keel en gooi het raam open om wat lucht te krijgen...

Maar dan zie ik beneden in de tuin mijn zoontje, aandachtig gebogen over een soort kikker.

'Hee!' roep ik. 'Stouterd! Ben je uit bed? Wat is dat nou!'

'Een beest!' roept hij verrukt. 'Een kikker.' Hij danst als een gek om de kikker heen, joelend en gillend, en hij brengt het gladde gelige dier in triomf mee naar binnen, waar ik hem, inclusief kikker omhels.

'Je moet in je bedje,' zeg ik streng. Maar ik zie al dat dit onzin is, want hij is niet in het minst ziek. Hij is integendeel ontzettend beter.

We brengen de kikker samen omzichtig naar de sloot. En dan neemt hij mijn boodschappentas en zegt: 'Daag!'

'Wat ga je doen?'

'Ik ga trouwen,' zegt hij.

Hij verdwijnt, en na een paar minuten roep ik, weer ongerust: 'Wat doe je toch?'

'Ik zit te trouwen!' roept hij.

Hij is weer rozig en stout. 's Avonds als ik hem een plasje laat doen, zegt hij in zijn slaap: 'Komt de dokter nooit meer?'

'Nee hoor, ga maar gerust gauw slapen.'

En dan ga ik mijn pantoffels aan doen, en ik merk, dat de tenen van die pantoffels vol krenten zitten.

12-5-1955

Mijn zuster Annebelletje

'Nee,' zegt mijn zoontje resoluut, als ik hem het laatste stukje brood met suiker in de mond wil stoppen. 'Ik heb geen tijd meer. Ik moet naar m'n zuster.'

'O. Waar woont je zuster?'

'Daar!' wijst hij. 'Kom eens mee kijken.'

Ik ga mee achter de schoorsteen. 'Daar zit ze,' zegt hij. 'Zie je wel?'

Er is niets. Helemaal niets. Zelfs geen heel klein girafje.

'O ja,' zeg ik. 'Lief zeg. En hoe heet je zusje?'

'Ze heet Annebelletje.'

'Zo zo. Dag Annebelletje. Wil je ook een stukje brood?'

De astrale zuster krijgt een hap brood en hijzelf neemt ook nog een stukje voor de gezelligheid. Ik zie nu grote mogelijkheden in zo'n onzichtbaar zusje, het eten gaat veel vlotter.

Hij heeft nu dus een familielid geschapen, dat onzichtbaar met ons meeleeft, mee-eet en heel gemakkelijk is in de omgang. Ze kan nooit iets van hem afpakken, ze maakt geen ruzie en ze wil wel altijd slapen gaan, als hij zin heeft een bed voor haar te bouwen, en dat komt nog al eens voor. Hij zingt zachtjes heel roerende liedjes voor haar en hij vertelt haar lange warrige verhalen over vrachtauto's.

Iedereen die aan de deur komt moet haar zien, ook de bakker, die een beetje gegeneerd met een mand vol brood meeloopt door de huiskamer. En de visite moet voortdurend naar Annebelletje komen kijken.

Een keer was er een wildvreemde heer met een collectebus aan de deur. Hij werd onmiddellijk aan het handje meegevoerd om Annebelletje te zien.

'Daar,' zei het jongetje. 'Ze slaapt. Lief hè?'

'Ja,' zei de collecte-heer. 'Je hebt een lief zusje hoor.' Hij keek radeloos naar de lege kussens.

'Ze heb ook een buuste,' zei mijn zoon.

'Zo zo,' zei hij. En hij keek nog eens goed. Er was echt niets, maar ja, hij was toch volledig bereid om nog eens met nadruk te zeggen: 'Zo, nou, een mooie buuste heeft je zuster, hoor.'

'Heb jij ook een buuste?' vroeg mijn zoontje. Ik weet niet precies waar hij het begrip vandaan heeft, maar het schijnt hem erg te intrigeren. Als ik een sprookje begin te vertellen over een elf of een fee, dan is altijd het eerste wat hij vraagt: 'Heb ze een buuste?'

'Nee,' zei de collecte-heer. 'Die heb ik niet.'

'Jammer hè?' zei mijn zoon.

'Dat wel ja.'

'Maar je heb een bus.'

'Ja, ik heb een bus.'

En daarmee was het bezoek afgelopen. En Annebelletje is een steeds aanwezige huisgenoot, waarmee we voortdurend rekening moeten houden. Ze moet altijd mee naar de zandbak en als we gaan wandelen en al een eind op weg zijn, met hoeden en jassen aan, roept hij ineens ontsteld: 'Annebelletje! We hebben Annebelletje per ongeluk thuisgelaten' en we moeten nu geduldig weer mee naar huis om haar te halen. We doen het maar, want aan de andere kant hebben we veel aan dit wezen te danken. Ze is zo'n prachtig wapen: we kunnen altijd zeggen: 'Annebelletje zou dat noooooit doen.' 'Annebelletje plast niet in bed.' 'Annebelletje knoeit niet met haar worteltjes.'

Als de visite soms per ongeluk op Annebelletje gaat zitten, schreeuwt hij moord en brand.

De relatie duurt een hele tijd, maar dan is het ineens afgelopen. Ineens wenst hij Annebelletje niet meer te kennen. En als ik naar haar informeer, doet hij ontwijkend en onverschillig. Misschien was ze te braaf?

En toen ik vanmorgen, zelf eerlijk verschrikt, uitriep: 'Pas op, je zit op Annebelletje', toen keek hij me wat verward aan en hij kreeg langzaam een kleur. Ik zag dat hij in tweestrijd verkeerde. Moest hij Annebelletje verloochenen? Of moest hij maar weer meespelen met het spel?

Zijn conflict werd opgelost, doordat er iets hard boven ons huis ronkte.

'Een helikopter!' riep ik opgetogen. 'Kijk dan gauw! Een helikopter!'

We renden naar het raam en staarden het ding lang na.

'Daar zit ze in,' zei hij toen. 'Annebelletje zit erin.' En hij wuifde opgelucht.

'Och,' zei ik. 'Gaat ze weg?'

'Ja,' zei hij overtuigd. 'Ze gaat weg, naar haar moeder en ze komt nooit terug.'

Het is een ideale manier om van zusters met buustes af te komen. Maar toch missen we haar een beetje.

26-5-1955

Vrienden

Mijn zoontje berust in het hebben van vriendinnetjes als iets wat er nu eenmaal bij schijnt te horen, maar in zijn hart heeft hij een grote verachting voor kleine meisjes.

Er zijn er een stuk of vier. Ze bellen aan en brengen dan een komkommer om zijn gunsten te winnen, ofwel ze zitten op het hek te roepen en te wachten tot hij buiten komt.

Lieve meisjes van zeven of acht of zo, met kleine moedercomplexjes. Ze snuiten zijn neus, ze knopen zijn broek dicht of open, wanneer ze denken dat het nodig is en ze zingen op een preuts toontje van 'klein klein kleutertje'. Toegewijd werven ze om zijn aandacht en ze maken onderling ruzie wie hem aan het handje mee mag nemen.

Hij laat het allemaal een tijdlang genadig toe en intussen geeft hij bevelen, zoals: 'Doe m'n schoene uit!' Of: 'Niet zingen!' Maar op een gegeven ogenblik vlucht hij uit al die vrouwelijke weekheid, hij rukt zich los van zijn slavinnen en hij gaat met een woest gehuil op z'n driewieler rondfietsen, zonder zich in het minst meer te bekommeren om zijn visite.

Ik stuit dan ook herhaaldelijk ergens in huis op een klein meisje, dat zo maar in een hoekje op de grond zit te wachten, tot het voorwerp van haar aanbidding weer tijd en gelegenheid zal hebben zich even met haar te bemoeien.

En onderwijl gaat hij met zijn fietsje naar de tuin en zit daar van achter het hek te kijken naar grote jongens, die in de polder spelen. Ze schreeuwen hard en lelijk en ze hebben lange stokken waarmee ze in de sloot porren, en mijn zoontje vindt dat oneindig boeiender dan alle tedere aanhankelijkheid van zijn harempje. Met ogen vol ontzag en eerbied staat hij te kijken, zijn onderlip aandachtig naar binnen gezogen.

Daar, aan de andere kant van het hek, ligt de wereld vol avontuur en opwinding. Daar wordt geleefd! Daar snuit men geen neuzen en zeurt men niet over klein, klein, kleutertje.

De jongens zwaaien naar hem en hij krijgt er een kleur van, en komt het me vertellen: 'Die ene jongen heeft gezwaaid, zag je dat?'

'Ja,' zeg ik. 'Misschien mag je wel met ze meespelen, even... in de wei...'

Dat is blijkbaar een heel schokkende mededeling. Hij? Met die grote jongens? Met stokken?

'Ja,' zeg ik. 'Kijk maar, daar komt er al een om je te halen...'

Hij houdt zich met een hand aan mijn rok vast en als de grote jongen aan het hek leunt en tegen hem zegt: 'Ga je mee? Gaan we voetballe hee...' dan zwijgt hij lang. Het is een moeilijk ogenblik.

En eindelijk zegt hij, vriendelijk verklarend: 'Nee. Ik kan niet van mijn moeder afblijven.'

En hij gaat naar binnen, waar hij zich genadig een beker melk laat aanreiken door een van zijn hunkerende bewonderaarsters.

2-6-1955

Een dagje naar de E 55

'Je moet er eens met hém heen gaan,' zei een kennis. 'Voor kinderen hebben ze daar zo iets leuks! Enig! Dan moet je er een hele dag voor nemen.'

'Goed,' zei ik. En dus trok ik mijn zoontje een klein geel broekje aan en een heel klein wit truitje en ik waste zijn beentjes voor de achtste keer die morgen.

'Waar gaan we naar toe?' vroeg hij.

'Naar de E 55.'

'Waarom?'

Een heel juiste vraag. Hij vroeg niet: 'Wat ís de E 55', nee, hij vroeg: 'Waarom gaan we erheen?'

Ja, dacht ik, waarom gaan we er eigenlijk heen. Is het noodzakelijk?

'Omdat daar zo'n leuke speeltuin is. En schiet nou op, loop een beetje door, anders gaat de trein voor onze neus weg.'

In de trein mocht hij het kaartje vasthouden.

'Straks komt de conducteur,' zei ik, 'en dan mag je het kaartje laten zien en hij geeft er een grote knip in met een grote tang.'

'Waarom?'

'Tja... waarom... Dat doen conducteurs.'

'Waarom?'

'Omdat het moet.'

'Waarom moet het?'

'Kijk, een koe. Kijk eens wat een leuke koe!'

'Komt de conducteur nou?' vroeg hij, niet lettend op de koe.

'Ja, die komt zo.'

We zaten te wachten op de conducteur. Maar in deze hele

trein scheen geen conducteur voorhanden te zijn. We wachtten en wachtten. Mijn zoontje hield het kaartje recht voor zich uit en ik begreep dat dit een zeer ernstig punt werd en dat we niet zouden kunnen rusten eer en alvoor hij een grote knip met een grote tang had gekregen.

'Komt de conducteur nou?'

'Ja, wacht maar. Hij komt vast.' Maar o wee, de trein begon te stoppen. Is dit Rotterdam al? Het is Rotterdam. En de conducteur is niet geweest.

'Kom schat, we moeten eruit.'

'Nee.' Er was angst op zijn gezichtje.

'Ja, maar we moeten eruit!'

Hij begon vertwijfeld te schreien.

'Kom maar, we gaan de conducteur zoeken,' zei ik. 'Die staat wel ergens op het perron, we gaan er wel heen.'

Maar er stonden wel zes miljoen mensen op het perron, die allemaal drongen en duwden om ergens uit te komen, maar ik zag nergens, nergens een conducteur.

We liepen radeloos de perrons af, langs het eerste, het tweede, het zesde, het vierde, trap op, trap af, we zochten vertwijfeld langs iedere trein, maar het leek wel of de conducteurs die dag hadden afgesproken allemaal thuis te blijven. Eindelijk, na drie kwartier, vonden we vlak bij een internationale trein een conducteur. En het was zo'n mooie. Eentje met een snor en een dikke buik met een rode band erover. Een pracht van een conducteur. De essentie van het begrip conducteur.

Mijn zoontje hief, zonder iets te zeggen, een betraand treinkaartje naar hem op.

De conducteur begreep. Hij gaf glimlachend de grootste knip met de mooiste tang die het jongetje zich had kunnen dromen.

Hè, hè, dit was tenminste alvast niet misgelopen.

'Ziezo,' zei ik. 'Nu gaan we eerst een eindje lopen. De Coolsingel over. Kijk, is het hier niet leuk?'

'Waar is de kerstboom,' vroeg hij.

'Die is er niet meer.'

'Waarom niet?'

'Omdat het juli is.'

'Waarom is het juli?'

'Daarom.' Er komt toch altijd een moment, waarop ouders 'daarom' zeggen, ook al nemen ze zich voor dat nimmer te doen.

'O kijk eens, mamma! Wat is dat, mamma?'

'Een vuilnisauto, met vuilnismannen.'

'Wat doen ze?'

'Vuilnis ophalen.'

'Waarom?'

'Omdat het moet. Kom nou, blijf niet aldoor staan.'

Maar ik zag wel in, dat dit een van de boeiendste dingen was op aarde. Een vuilnisauto die zijn achterlijf in de hoogte steekt en mannen met voorschoten erbij. Mijn zoontje was dan ook vastbesloten om vooreerst niet verder te gaan en, zo nodig, de wagen te volgen tot het einde toe.

We gingen dus achter de gemeentereiniging aan, een zijstraat in, en weer een zijstraat. En als zij bleven staan, bleven wij ook staan.

'Ga je nu mee naar de E 55?' vroeg ik. Het was half een. Om negen uur waren we van huis gegaan.

'Nee,' zei hij. 'Ik blijf bij de vuilmeneren.'

Maar juist toen ik besloten had de vuilmeneren aan te bieden een handje te helpen, kwam er een nieuwe afleiding.

'Kijk!'

Ik keek. Daar werd gebouwd. Er was een betonmolen en een hoop zand.

Binnen de seconde had mijn zoontje zich geïnstalleerd in het zand.

'Maar je hebt thuis toch ook een zandbak?' zei ik. 'Kom nou mee. Gaan we fijn naar de E 55.'

Hij gaf geen antwoord, want hij moest een toren maken

van tien losse bakstenen daar in het zand.

Ik voelde me kribbig worden en ik wou gaan snauwen: 'Zul je nu onmiddellijk meekomen?' Maar waarom eigenlijk? Was het zijn uitje of het mijne? Voor zijn plezier waren we naar de E 55 gegaan.

En ik ging maar naast hem zitten in het zand.

Om ons heen was het een hele bedrijvigheid met bouwende mannen en ratelende betonmolens en heiblokken. En wij bouwden een grote toren.

Om zes uur waren we thuis.

'Was het mooi op de E 55?' vroeg men ons.

'Prachtig,' zeiden we. 'We hebben enorm genoten.'

14-7-1955

De val uit het paradijs

Mijn zoontje zit op zijn potje en praat zachtjes en bespiegelend, want dit is iedere dag weer een half uur van wijding en creatieve aandacht. Ik mag erbij zitten, maar ik mag vooral niet zeggen: 'Schiet op!' of: 'Komt het nou haast!' Nee, het pot-zitten is een ernstige bezigheid en het moet zijn tijd hebben.

'En als de weg kapot is, komt er een auto met grind...' mijmert hij. 'En dan kiept de auto en het grind valt aaaaaallemaal op de weg. Kijk zó...'

'Pas op...' zeg ik, want hij helt gevaarlijk opzij met de pot.

'En dan komt er een teerauto. Met teermannen. En die spuiten teer op de weg. Zó: pssssjt!'

'Ja.'

'Mamma, mag ik in een paard zitten?'

'Je zit niet in een paard,' zeg ik. 'Je zit op een paard.'

'Ik zit op een pot,' verbetert hij, mij bestraffend aankijkend.

'O ja.'

'En nou ben ik klaar!' kondigt hij plotseling met triomf aan. Hij staat voldaan op, alsof hij zojuist een groot meesterwerk heeft voltooid, en iedereen moet komen kijken en in opgetogen bewoordingen, bewondering uiten voor het werkstuk, waarna hij tot de orde van de dag overgaat en zijn autootjes in de garage rijdt met een hels gebrom.

En het is dat nog-baby-zijn en tegelijk toch-al-jongen zijn, dat hem parten begint te spelen. Ik merkte het, toen de grote jongens kwamen aanlopen. Omdat het vakantie is, en ze met hun tijd geen raad weten, verwaardigen ze zich bij mijn zoontje op bezoek te komen, grote glazen limonade te drinken en met zijn speelgoed te spelen.

Hij gedraagt zich dan als een ijverig, wat blufferig winkeliertje, dat geïmponeerd door zijn clientèle, de hele winkelvoorraad laat zien; hij slooft zich uit en ze mogen zelfs op zijn fietsje. Allemaal brommen ze als auto's, dat doen jongens geloof ik nog tot hun vijftiende, over de hele wereld. En mijn zoontje doet echt tof en roept: 'Ah joh suffert ééh!' Precies alsof hij echt een van hen is.

Maar vanmorgen, toen hij ze weer had rondgeleid langs zijn bezittingen, had de roes hem zo te pakken dat hij uitriep: 'Hee jongens, ik moet even een ba doen op de pot, komen jullie dan dadelijk kijken? Mag je 'm zien!'

De jongens lachten niet; ze hoonden ook niet, maar er viel een stilte. Precies als in een gezelschap mevrouwen, waarvan een dame uit de toon valt en een schuine mop vertelt.

Een pijnlijke stilte... en het kleine jongetje kon niet zo goed begrijpen waarom. Maar hij voelde dat hij iets verkeerds gezegd had, iets dat men niet zegt. Hij pakte quasi onverschillig een locomotiefje en zei: 'Hier dat magge jullie wel kapot maken hoor.' Het spel ging verder. Maar de gêne is geboren. En de val uit het paradijs is begonnen.

11-8-1955

Dat was het dan

'Wel, wel,' zeiden we tegen de poes. 'Wat ben je dik! We zullen eens een wiegje maken want je kindertjes komen nu gauw! Je bent zo rond als een ton; het worden er vast wel veertien!'

'Als ik maar niet in dat rottige berghok hoef,' zei de poes. 'Het is daar zo ongezellig. Bah!'

'Kom, kom,' zeiden we. 'Als je er een lekker warm nestje hebt, en als we er eten neerzetten...'

Maar toen we op een avond thuiskwamen en de deur van de huiskamer openden kwam de poes ons mauwend tegemoet.

'Kom toch 's gauw kijken,' zei ze. 'Ik heb er al een!'

'Waar dan?'

'Hier!' En ze leidde ons naar het bureau-ministre.

En daar onder, in dat natuurlijke leghok, dat ieder bureau heeft, daar lag een klein zwart jong. Het wurmde plat op zijn buikje over de ruwe mat, het miauwde klaaglijk en zijn blinde oogjes stonden heel zorglijk in zijn zwarte gezichtje, net alsof hij dacht: En zo moet ik nog helemaal naar Zandvoort, op mijn buik...

'Aaaach...' zei ik. 'Laten we er tenminste een krant onder leggen,' en ik legde een Tour-de-France pagina onder het kleine lijfje.

De moederpoes ging erbij liggen en spinde heel hard. Ze keek ons kwijnend aan en trok wellustig haar nagels in en uit.

'Dat is dus nummer een,' zeiden we. 'Nou de andere dertien nog.'

Ze hield even op met spinnen, gaf toen een korte harde mauw en hup, daar was nummer twee, heel zielig nat, maar met echte heeeeeele kleine nageltjes, die zich al begerig uitstrekten naar een plaats op de wereld. Die had hij dan nu, op de Tour de France.

Mama begon onmiddellijk aan hem te redderen, likte hem schoon en knaagde vaardig het steeltje door, waaraan dit nieuwe leventje was gegroeid.

'Weer een zwarte,' zeiden we. 'Weet je niks anders?'

Ze ging een beetje liggen uitrusten en dadelijk kwamen de twee zwarte jongen aan haar buik zoeken, alsof ze een handleiding hadden meegekregen. Ze vonden ieder een bronnetje waar ze zich luid smakkend aan laafden.

En ondertussen, zonder dit bedrijf noemenswaard te storen, kwam nummer drie.

Weer een zwarte.

'Ziezo,' zei onze poes. 'Dat was het dan. Hè, hè, geef me eens een schoteltje melk. En je begrijpt zeker wel, dat ik hier blijf en niet in dat berghok ga.'

'Vannacht mag je hier blijven; morgen ga je met de hele klas in het berghok,' zei ik. 'Maar intussen... ik vind, dat je heel lieve kindertjes hebt. En je krijgt ze zo makkelijk. Je hoeft niet naar een kliniek, je hebt geen dokter nodig, geen vroedvrouw, geen zuster met ooievaartje, geen luiers, navelbandjes, sluitlakens, burgerlijke stand, kaartjes, bloemen, bonbons, korsetten, gymnastiek, weegtabellen...'

'Schei uit,' zei de poes geringschattend, 'dat gedoe bij jullie is gewoon gedegenereerd. Eerst lopen jullie negen maanden lang te sjemmelemeimelen, dan is het een complete alarmtoestand in zo'n ziekenhuis, dan krijg je een eindeloos gezeur met die hygiëne... en het ergste vind ik die man die er steeds met zijn neus bovenop hangt. Wat heeft die man ermee te maken? Als mijn man hier durft te komen of naar die kinderen durft te talen, blaas ik hem weg.'

'Je hebt gelijk,' zei ik. 'Het is eigenlijk overdreven bij ons. We zullen een actie gaan voeren ter vereenvoudiging van bevalling en moederschap.'

En ik zag meteen mevrouw Duimsterhof uit de Larixlaan voor mijn geestesoog, die nu in verwachting is en die op zekere dag zou zeggen: 'Kom, het wordt nu tijd dat ik eens onder het bureau ga; ik zal vast een krant neerleggen, want die mat is nogal hard.'

Haar man zegt: 'Wat doe je toch Truus?'

'Bemoei je d'r niet mee,' zegt ze. 'Maar als je het weten wil: d'r is er al een en de rest komt nog. Als je eraan durft komen, krab ik je ogen uit.'

'Je doet maar,' zegt haar man en gaat een beetje over de schutting lopen.

Zo zou dat gaan, eenvoudig en zonder rompslomp.

De volgende dag hebben we de poes in het berghok gezet, met haar offspring. Maar een uur later lag het gezin weer onder het bureau en daar moeten ze dan nu in 's hemelsnaam maar blijven. Want hoe makkelijk het bij poezen ook gaan mag, ze hebben heel duidelijk omlijnde eisen inzake de plaats van het kraambed.

4-8-1955

Lieve Lientje

Lieve Lientje

Zojuist is je vader kwaad weggelopen, roepend: 'En nou is het uit, dáár dan, ik kom niet meer terug', zodat ik net een uurtje heb om aan jou te schrijven, m'n lieve kind, voor hij weer terug is met een bloemetje.

Zo, de vakantie zit erop. Voor het eerst in veertien jaar hadden we mooi weer, je vader en ik. Er was aldoor zon. Een vergissing, denk ik en we zullen er nog wel voor moeten boeten en het zal nu wel één wolkbreuk worden tot aan 1964 toe, maar goed, het was heerlijk in Nunspeet en wat een heerlijke rustige omgeving. Niet dat we er veel van gemerkt hebben met die miljoenen mensen-met-radio's en al die militaire vrachtauto's en al die straaljagers in de lucht, maar als de bromfietsen er niet geweest waren dan had ik me toch nog kunnen voorstellen hoe rustig het daar wel zou hebben kunnen wezen. Nu heb ik uitsluitend gebrom gehoord op de weggetjes. Je vader zegt dat dat een gevolg is van de rooms-rode coalitie. Hij zegt de roomsen zorgen voor veel kinderen en de roden zorgen dat ze allemaal een bromfiets krijgen, als ze groter worden. Wel, je weet, ik heb me nooit met politiek bemoeid maar er zit wel iets in, dacht je niet? In elk geval ik denk maar zo: jij zit in Australië en jou kunnen ze dus niets meer doen.

We sliepen er niet zo best. Het bed daar in het pension had een bobbel in het midden, zodat we er telkens ieder aan een kant afvielen. Je vader zei: dat is typisch Hollands, in Frankrijk heeft ieder tweepersoonsbed een kuil, zodat je naar elkaar toe valt en hier in Holland een bobbel zodat je van elkaar af valt. En ik zei, geef mij maar lits-jumeaux. Nu ik het schrijf, denk ik opeens: Wat weet hij van Franse bedden? Moet ik hem toch nog eens vragen.

In je laatste brief verzoek je me iets over de gebeurtenissen te schrijven en je voegt eraan toe: Niet die roddels over mevrouw Hendriks, maar interessante dingen uit de krant, want je zegt, je leest daar geen kranten. Ik herinner me niet, je ooit iets over mevrouw Hendriks geschreven te hebben, behalve dan dat ik het een brutale lellebel vind, zoals ze in haar tuin ligt, naakt, maar goed, ik zal nog eens voor je kijken in de oude kranten of er iets bijzonders in stond.

De ongelukken zal ik maar overslaan, vind je niet? Loodgieter van het dak gevallen, maar we kennen hem niet, dus daar is niets aan. De augurken worden doorgedraaid en de Marokkanen staan nog steeds op. O ja, en we hebben weer een nieuwe spelling en daar kan ik echt korzelig om worden want ik ben pas gewend aan deze. Ik hoop dat je het goedvindt dat ik in de oude spelling blijf schrijven, want ik weet nog niet wat die nieuwe behelst. Ik heb gelezen dat de voornaamwoordelijke aanduiding van de met v (m) aangeduide zelfstandige naamwoorden (vooral voorwerpsnamen in de ruimste zin, namen van lichaamsdelen, bomen, planten, bloemen, vruchten, hemellichamen en aardrijkskundige) vrijheid wordt gelaten, zodat zowel het gebruik van zij en haar als van hij en zijn wordt toegestaan. En nou jij. In elk geval heb ik, voor zover ik weet, in deze brief niets over lichaamsdelen geschreven en ook niet over hemellichamen, is het wel, dus veel fouten kan ik niet gemaakt hebben.

Mevrouw Hendriks van hiernaast... o nee, dat is waar ook, ik heb beloofd dat ik niet meer over haar zou praten in mijn brieven.

Nu, meer staat er niet in de krant. Ik ben een vestje aan het haken, erg snoezig, lichtgroen, van alleen lossen en vasten. En nu hoor ik je vader het tuinhekje in komen, hij is eerder dan ik dacht, misschien schrijft hij er een regeltje bij. Het zijn anjelieren dit keer, ik zie het door het raam.

Zul je goed voor jezelf zorgen, en je warm kleden. Doe de
groeten aan Henk en voor jou een zoen van je
   moeder

P.S. Mevrouw Hendriks van hiernaast had gisteravond weer
bezoek en het was niet die heer met die snor, maar nu een
gladgeschoren heer, en je zult wel weer zeggen dan had hij
zijn snor misschien afgeschoren, maar ik zeg nee, het was een
ander. En het is hier altijd tot nu toe zo'n nette buurt geweest.
Ik kan nu alleen nog maar hopen en bidden dat ze haar le-
venswandel wijzigt, maar aan de andere kant zou dat een
beetje jammer zijn want ik heb nu niet zoveel meer, dag
kind.

                                                    8-9-1955

Lieve Lientje
   Ik heb je een pakje gestuurd met stroopwafels in blik en
wollen broeken voor jou want als je eenmaal blaasontsteking
gehad hebt al is het dan op je achttiende, moet je altijd wollen broeken met pijpen dragen, kind. Ook al zeg je dat je daar
in Australië stikt van de hitte en ook al schrijf je me alsmaar
dat het zo lelijk staat. Wie ziet dat nou, en voor je man hindert het niet want je bent toch getrouwd, dus je hébt 'm toch.
   Nou eens kijken wat er voor nieuws is, nou eigenlijk niets.
We hebben gisteren bezoek gehad. Herinner jij je de Rismeiers? Nou die waren bij ons. Keurige mensen en ze vertelden
dat hun zoon, Oswald, een regeringsopdracht heeft. Hij is
beeldhouwer, dat weet je.
   'Wat enig,' zei ik, 'en wat moet het worden? Weer eendjes
misschien' (want die jongen kon al zo leuk eendjes boetseren
toen hij drie was).
   'Nee,' zeiden de Rismeiers, het moest een verzetsbeeld
worden.
   'Nog al een?' zei ik. 'We struikelen langzamerhand over

de verzetsbeelden hier in Nederland. Je kunt geen stap verzetten of je loopt weer tegen een of andere sombere groep aan.'

Nou dat vonden zij niet. Maar ik zei: 'Waarom laten ze die jongen niet eens iets fleurigs maken? Een gezellige fontein met allemaal zeemerminnetjes? Of hele mooie naaktfiguren? In Italië hebben we zulke mooie naakte Venussen gezien in het park, weet je nog wel vader en het waren toch moderne.'

'Ja,' zei je vader, 'maar dat mag hier in het land niet. Dat mag hier alleen tegen verzekeringskantoren aan en op de gevels van Banken, maar,' zei hij, 'sinds wanneer pleit jij voor blote vrouwen in het park.'

'Ach, als ze van steen zijn, waarom niet? Pas als ze niet van steen zijn, heb ik bezwaar.'

'Nou ja,' zei de ouwe Rismeier, 'daar ging het nou niet om maar hij was blij dat hun Oswald een regeringsopdracht gekregen had.'

'O natuurlijk is het fijn voor hem en voor jullie,' zei ik 'maar toch blijf ik het overdadig vinden, al die verzetsbeelden. Als ze ons land over duizend jaar opgraven zullen ze denken dat wij een volk van louter verzet zijn geweest. Dan hebben ze dus een verkeerde indruk, want dat zijn we helemaal niet. We zijn een volk van reisjes-langs-de-Rijn en van jongens-wat-hindert-het-of-je-door-de-kat-of-door-de-hond-gebeten-wordt.'

'Nou nou...' zeiden ze, 'nou nou... we hébben ons toch verzet?'

'Ja,' zei ik, 'maar waar we ons tegen verzet hebben, dat is er allemaal weer. Die collaborateur van hierover, kom hoe heet ie, is weer directeur van iets. En die Duitse generaals waar we ons tegen verzet hebben zijn er ook weer. Dezelfde.'

'Nou nou,' zeiden de Rismeiers, 'we moeten toch kunnen vergeten.'

'Dat wil ik best,' zei ik, 'maar als ik iedere keer tegen een verzetsbeeld aanloop vergeet ik het niet. Dat vind ik nou zo gek van die regering. Ze willen ons alsmaar laten vergeten maar onderwijl zetten ze steeds meer van die dingen voor onze voeten opdat we het niet vergeten.'

Nou, ze gingen gepikeerd weg, de Rismeiers en ik geef toe het was niet aardig van me om me zo op te winden, en waarover! In elk geval kind, jij zit in Australië en jou kunnen ze dus niks meer doen. Zwolse balletjes heb ik er ook in gedaan. In dat pak. Daar hou je zo van.

We hebben de vorige week nog geprobeerd kaarten te krijgen voor dat hormonenkoor – of was het mormonen dat haal ik altijd door mekaar – maar het is niet gelukt. Je vader was net even te laat. Hij is meestal net even te laat of net even te vroeg. Je weet toch dat hij van de zomer de 999999e bezoeker was van de E 55. Nou, daar heb je je vader ten voeten uit.

Dag lieve kind, enig dat je die kangoeroe gezien hebt en ik hoop dat je zult smullen van de stroopwafels.

Een zoen van je
moeder

p.s. Mevrouw Hendriks van hiernaast heeft een poedel gekocht. Ze staat hem de hele dag met haar roje bloes aan op straat te fluiten. Dat kon ze eerst niet doen, maar nu ze een poedel heeft, kan het. Dag lieve kind.

15-9-1955

Lieve Lientje

Wat waren we weer blij met je brief en ik haast me je terug te schrijven, alhoewel ik niet zulke interessante dingen heb te melden als jij. Ik zie hier geen vogelbekdieren, alleen maar je vader.

Ik had me voorgenomen de kranten te bewaren, om je

daaruit een soort politiek overzicht te geven, maar ze liggen óf in het gootsteenkastje óf je vader heeft er de bokkingvellen in gedaan. En uit mijn hoofd weet ik niet meer wat er deze week is geschied.

Er zijn onlusten in Gaza, maar waarom weet ik niet; ik kan al die landen zo moeilijk uit elkaar houden: Egypte en Syrië en Cyprus en Irak en Iran en Jordanië en Algerije... het is voor mij allemaal één pot nat; het zijn allemaal landen die vroeger niet bestonden. Vroeger had je alleen de Balkan en daar rommelde het. Maar je hoorde nooit iets over Irak en Iran en zo.

Toch probeer ik de laatste tijd al die onlusten te volgen, want ik heb al lang door dat er tegenwoordig geen onlust meer kan zijn, wáár dan ook, of wij hier in Europa krijgen het op ons brood.

Vroeger was dat anders, voor de oorlog. Toen lazen je vader en ik de krant en we lazen: 'Het rommelt in de Balkan' en dat gaf ons dan zo'n heerlijk veilig gevoel, precies als wanneer het stormt en je ligt lekker in je warme bed. Ja, dat was een rustige tijd. Toen was jij nog een kleuter en Huib ook en we hadden Colijn, al waren we het niet met hem eens, en we hadden professor Veraart die probeerde regen te maken uit een vliegtuig en zo nu en dan kregen we een Avro-lepel.

En Amerika was toen nog een gek land, ergens heel in de verte, waar je om kon lachen, omdat ze daar zo vaak trouwden en scheidden. We wisten toen nauwelijks hoe de president heette. Maar dat weten we nu bijzonder goed, nu we zowat onderdanen van Eisenhower zijn. En de Amerikanen lachen om óns, want ze vinden ons een soort Achtergebleven Gebied. Dat heb ik laatst erg goed gemerkt, toen Huib dat Amerikaanse echtpaar meebracht. Zij, die vrouw, keek in mijn keuken rond, alsof ze de typische gewoonten in een Eskimohut bestudeerde.

Zie je, en als er nu ergens onlusten zijn, zitten die onlusten altijd met een staartje aan Amerika vast, zodat je weet: het slaat ook op ons en er kan best weer iets losbarsten. De onlusten staan tegenwoordig om zo te zeggen op de stoep.

Maar, m'n lieve kind, jij zit in Australië en dat is zo ontzettend ver weg, jou kunnen ze in elk geval niets meer doen.

We hebben nog een mooi warm weekend gehad, misschien het laatste van de zomer. Het was een pracht van een zomer, die grotendeels werd bedorven door de weerberichten van De Bilt. Er stond iedere dag in de krant: Depressie nadert! Einde van de Zomer! Kouder! Buien en Lagere Temperaturen! Het kwam nooit uit, maar het had zo iets suggestiefs dat we aldoor toch met regenjassen aan binnen bleven zitten wachten.

Nu de logés weg zijn heb ik eindelijk weer eens tijd om te lezen. Ik heb een boek over existentialisme gelezen om daar eindelijk eens over mee te kunnen praten. Ik was er nooit aan toe gekomen en het hindert me zo, als ik over een belangrijke stroming niet kan meepraten. Maar het gekke is, toen ik er zondag bij de Iepema's over begon te spreken, toen keken ze me aan of ze wilden zeggen: 'Mens, je bent jaren achter, wie praat er nu nog over existentialisme.' Zie je, zo gaat het nu altijd. Als er een Stroming is van iets, heb ik pas twee jaar later tijd om me in te werken en dan is de Stroming alweer voorbij.

Het is precies als met de A-lijn. Ik had een deux-pièces in de A-lijn, en nou is het alweer Y. Niet bij te benen dus en ik houd me maar bij de S-lijn, die heb ik van nature.

Kind, ik zou als ik jou was een warme anijsmelk proberen voor je gaat slapen, dat helpt mij altijd zo goed.

Dag hoor en hou je voeten warm en een zoen van je moeder

P.S. De poedel van mevrouw Hendriks zit onze Moortje achterna in de tuin. Het is zo'n elegante poedel, weet je wel, met poefmouwen maar *onder* die poefmouwen is ie onbeschaafd. Hetzelfde kan ik van mevrouw Hendriks zeggen.

Lieve Lientje

Je vader ligt in bed met een lichte kou. Hij noemt het een hevige griep. Ik heb peertjes voor hem gekookt, maar hij zei: 'Neem de vuiligheid maar meteen weer mee' en daarna is hij kwaad in slaap gevallen zodat ik nu een ogenblikje heb om aan jou te schrijven.

Wij zijn naar de begrafenis van oom Leo geweest. O, je wist natuurlijk nog niet, dat oom Leo dood was, nu, dan heb je dat uit mijn vorige zin waarschijnlijk kunnen opmaken. Hij was jouw oudoom; je zult je hem vermoedelijk niet herinneren; trouwens ik had hem ook in jaren niet gezien, want hij is heel hoog geklommen in de olie: hij was iets van president-commissaris, als je dat iets zegt, mij zegt het niets.

Ik zei dan ook tegen je vader: 'Moet dat nu heus, ik heb wel een zwarte jas maar geen zwarte hoed erbij.' En je vader zei: 'Zet dan dat nieuwe roze ding erbij op.' Dat is weer tekenend voor je vader.

Enfin, na veel gezeur zijn we dan toch maar gegaan, hoewel we eigenlijk geen van beiden wilden. Wat doe je toch een hoop dingen in het leven die je niet wilt en waar bovendien niemand iets aan heeft. Die ouwe bruine hoed met dat veertje, weet je wel, heb ik zwart geverfd, nog even voor we gingen, want ik had echt geen zin om een nieuwe hoed te kopen.

Nou, je weet hoe het is met zo'n begrafenis: eerst word je dan ontvangen door zo'n heer die nergens iets mee te maken heeft, maar die van de begrafenisonderneming is en uiterst droevig kijkt, want dat is zijn vak. Hij is een soort groundhost. Deze keek zo treurig, dat ik er bewondering voor had en dacht: Man hoe breng je het op.

Toen werden we over de auto's verdeeld en op het kerkhof moesten we in de regen staan. Het stroomde en het was al zo'n echte herfststemming met vallende gele blaren en daar heeft je vader in zijn blote hoofd die kou opgedaan. Ik zag het aankomen en ik dacht onwillekeurig, toen we nog al die sprekers moesten afwerken: Schiet dan toch op.

Nou, er werd veel gesproken. Er was ene ir. Wijdekil, die namens het directoraat-generaal sprak en die zei, dat oom Leo Nederland had opgestoten in de vaart der volkeren. Ik was er echt door geïmponeerd, want ik moet je zeggen: dát wist ik niet. Jij?

Enfin, er was een andere heer, die drie anjers op de baar legde als symbolen van eenheid, verdraagzaamheid en nog iets en die zei, dat oom Leo een edel en groot mens was geweest en een lichtend voorbeeld. Ik weet niet hoe het kwam, maar ik moest ineens denken aan die ene keer, dat je vader en ik hem eens geld te leen hebben gevraagd. We zaten in bittere moeilijkheden en hij heeft ons ontzettend afgeblaft en ons tweeduizend gulden geleend tegen een krankzinnige woekerrente. Het was natuurlijk niet aardig van mij om daar op dat moment aan te denken, maar ja.

Wel, en toen speelden ze *Aases Tod* en ik merkte dat mijn hoed afgaf. Dat heb je met geverfde hoeden in zo'n stromende regen. O ja, oom Henk heeft ook nog iets gezegd... dat we in zijn geest moesten leven en dat hij nu herenigd is met zijn lieve echtgenote, die hem enige jaren geleden is voorgegaan. Nou, toen dacht ik natuurlijk aan die goeie tante Mien, die zo vaak bij me kwam uithuilen en die altijd zei: 'Ik zou wel weg willen als ik maar wist waarhéén...'

Het is afschuwelijk wanneer je je juist zulke dingen herinnert op het moment dat de kist langzaam zinkt en ik probeerde me krampachtig iets te herinneren wat een beetje aardig was, behalve dan natuurlijk dat hij Nederland heeft opgestoten in de vaart der volkeren. Ten slotte kwam mij in het geheugen dat oom Leo zo lief was voor zijn witte muizen. Weet je nog, Lientje, hij had witte muizen waar hij als een vader voor was. Niemand heeft er iets van gezegd aan het graf; dat was jammer. En ik hoorde je vader naast me niezen en ik dacht o jee, daar zullen we het hebben.

Enfin, we zijn naar het sterfhuis teruggegaan, waar ze broodjes met paling hadden en sherry. Ik kan het niet helpen, maar ik vind het een degoutante gewoonte om te eten na een begrafenis, als de man waar het toch allemaal om gaat, buiten ligt zonder broodjes met paling. Maar goed, oom Henk heeft nog zowat gesproken en toen praatten ze allemaal verder over de olie en de aandelen en ik zag tot mijn schrik in mijn spiegeltje dat er lange zwarte strepen over mijn gezicht liepen tot in mijn sjaaltje toe. Maar ik dacht: nou ja, over gebrek aan rouw hebben ze dan bij mij in elk geval niet te klagen.

Ziezo en nu heb ik vanmiddag nog eens tegen je vader gezegd: 'Dat was eens, maar ik ga niet meer mee naar begrafenissen.' Waarop hij zei: 'Als je dat soort peertjes blijft klaarmaken, moet je binnenkort naar de mijne.'

In elk geval kind, jij zit in Australië en jou kunnen ze dus niets meer doen. De lijsterbes bloeit zo mooi in de tuin en mevrouw Hendriks van hiernaast... o nee, ik zou je niets meer over de buren schrijven. Ik heb pruimenjam gemaakt van reine claudes en ik zal je een grote pot sturen, dat is weer eens wat anders dan die Australische kers die je daar eet. Dag lieve kind, een zoen van je

moeder

P.S. Die vriend van mevrouw Hendriks van hiernaast is haar vandaag komen opzoeken en heeft een bos van onze lijsterbes afgeplukt om die aan haar aan te bieden. Nou vraag ik je. Dag kind.

29-9-1955

Lieve Lientje

Er zit al iets herfstigs in de lucht; de wind giert om ons huis met nu en dan een vlaag regen en voor we het beseffen zitten we alweer midden in de banketstaven. En je weet, kind, altijd als het herfst wordt, dan krijg ik het weer. Dan ga ik me zo afvragen: Waarom? En: Waartoe? Bovendien komt er dan nog bij dat ik in die stemming altijd snipverkouden word. Telkens, ieder jaar, neem ik me dan voor, een boek over filosofie ter hand te nemen, om eindelijk eens een antwoord te krijgen op die vraag: Waarom en waartoe? Want in zo'n werk *moet* het toch te vinden zijn. Tja, kind, dat heb ik ieder jaar opnieuw als de blaren vallen en als het nieuwe spoorboekje uitkomt en dan begin ik maar weer aan: *Inleiding tot de wijsbegeerte.* Dit is zeker al het veertiende jaar dat ik eraan ben begonnen, maar je weet: wij vrouwen mogen ons niet ontwikkelen, want zodra we dat doen, grijnst de sokkenmand ons aan, vol kapotte tenen en hielen en dan blijft de filosofie ons in de keel steken en we zijn gedoemd te blijven vragen: Waarom? en Waartoe? ...ons hele leven, een vraag die juist in verband met stukkende sokken zo klemmend wordt.

En toen ik dan vanmiddag zei: 'Ik ben zo verkouden, nou ga ik eens heerlijk een uurtje naar bed met een boek,' zei je vader: 'Kun je iets aan die kraag van mijn demi doen, want zo kan ik niet gaan.' Zie je, geen wonder dat vrouwen in de wereldgeschiedenis nooit grote wijsgeren, grote denkers, grote wereldhervormers zijn geweest. Iedere keer als ze net wilden beginnen, kwam hun man en zei: 'Kun je niet eens iets aan mijn demi doen?' Heb jij ooit van een vrouwelijke denker gehoord? Een denkster dus? Nee, zie je wel!

Maar vanavond ging je vader dan naar de vergadering van de Odd Fellows. Je weet, daar is hij lid van – er mogen geen vrouwen komen en dat is geloof ik trouwens de enige reden waarom hij er lid van is – en ik heb een kop hete melk genomen en ik ben naar bed gegaan met Vloemans. Met de *Inleiding tot de wijsbegeerte* van Vloemans. En ik realiseerde me, dat ik dat nu al veertien jaar achtereen doe, als het herfst is, maar nooit kom ik verder dan het eerste hoofdstuk, het hoofdstuk over de allereerste denkers, de oude Grieken, die zich ook al afvroegen waarom en waartoe. Ik las over Thales, die zei dat alles water is, dat alles eigenlijk en oorspronkelijk water is...

wel, ik moest hem volkomen gelijk geven. Waarschijnlijk lag hij ook in bed met een hevige verkoudheid, een lopende neus, waterige ogen en buiten stromende regen, toen hij dat *dacht*. En de volgende wijsgeer was Heraclites, die zei: 'Alles stroomt.' Dat komt dus op 't zelfde neer.

Toen ik zo ver was gekomen (en ieder jaar kom ik maar tot daar) herinnerde ik me ineens, dat de was buiten hing en ik ben dus maar weer opgestaan om hem binnen te halen. En zo is er altijd wat in een huishouden. Wij vrouwen zullen nooit weten waarom en waartoe. Het maakt me wel verdrietig want het is toch een heel belangrijke vraag. Waarom is er leven en dood en honkbal en honger en damesbeurs en kou en statistiek en oorlog en sigaretten en geboorte...

O ja, van geboorte gesproken: Elly heeft een baby. Je zult wel een aankondiging krijgen en het is een knolletje van een jongen, van acht pond, al helemaal een mensje, niet zo'n oranje eigenheimer als de meeste pasgeboren baby's.

Nou, je vader zal wel zo meteen thuiskomen, ik ga vast wat water voor de koffie opzetten. En wat het waarom en waartoe betreft, jij zit in Australië, lieve kind en wie weet zul je daar het antwoord vinden. Misschien word je de eerste denkster. Dank voor de kiekjes, ze zijn enig. Dag hoor, een zoen van je

moeder

P.S. Mevrouw Hendriks van hiernaast heeft een spiksplinternieuwe ocelot-jas. Zij weet in elk geval *waartoe*.

6-10-1955

Lieve Lientje

Je weet dat we eens een keertje naar Brussel moesten, omdat je tante Anna maar niet *ophield*, enfin we zijn gegaan, dit laatste weekend en we hebben er meteen een paar dagen Rotterdam aan vastgeknoopt, waar je vader iemand moest spreken.

Wat Rotterdam betreft, Lientje, ik was er in jaren niet geweest en ik moet zeggen: het is inderdaad indrukwekkend. Een volslagen nieuwe stad, helemaal wolkenkrabberig, en dan die prachtige Maas er tussendoor, het is allemaal erg modern en bijzonder. Ik kreeg het idee dat de Rotterdammers zelf er zich nog niet helemaal in thuis voelen, in dat gloednieuwe centrum met die glimmend nieuwe winkelstraten. Ze lopen er niet zo erg veel, het lijkt wel of ze bang zijn het vuil te maken. Ik ben blij dat ik het eens gezien heb; alleen vind ik wel dat Rotterdam een beetje te trots is op al dat nieuws. De Rotterdamse kranten schreeuwen er dag in dag uit over en als je zo'n blaadje van Vreemdelingenverkeer inkijkt lees je voortdurend: 'De Unieke Metropool waar men niet uitgekeken raakt op de scheppingen van de stedebouwers dezer eeuw en waar men de paleizen der moderne bouwkunst uit de grond ziet rijzen...' Ik wil maar zeggen: ze slaan zichzelf zo hard op de borst dat je het in Amsterdam hoort dreunen. En toen we een avondje naar de schouwburg gingen, zaten er maar een paar mensen en ik had het gevoel dat we in Meppel op een Nutsavond zaten, en dat rijmt volgens mij niet helemaal met het begrip Metropool.

Nou en dat wou ik je vertellen, Lientje, we zijn toen 's zaterdags met de helikopter naar Brussel gevlogen. Stel je voor! Een jaar geleden wist ik nauwelijks wat het was, een helikopter! Het was een merkwaardige tocht. Je moet je voorstellen een paar vierkante meters gras midden in de stad en daarop staat een soort blikken kinderwagen met drie zwiepende slierten bovenop. Nou, ik denk: moet ik daar in, maar we konden niet meer terug. Daar zaten we dan, je vader en ik en nog drie mensen. Het was zo'n beetje het idee van een autootje op de kermis. We zagen de piloot erin klimmen, een bleek type; hij zat apart van ons in een hokje.

Het maakte een ontzettend lawaai en ik wachtte tot het ding zou gaan rijden, maar o nee, het ging niet rijden, het ging hoep meteen loodrecht de lucht in. Alsof we werden opgetild. Je weet, ik heb al eens eerder gevlogen, maar dan gewoon, met de KLM en dit was een heel andere sensatie. Dit gaat niet zo hoog, je hebt grotere ramen, je kunt op je gemak naar beneden kijken en je wordt niet doodgegooid met telkens weer andere hapjes.

En ik begon er juist van te genieten, toen ik opeens dacht: O jee, er is maar één piloot en je zult zien dat die man onwel wordt onderweg; hij zag er al zo bleek uit! En als je eenmaal zo'n idee krijgt, terwijl je daar boven in de lucht zit in een soort blikken doosje, opgehangen aan *niets* dan voel je je niet gerust meer. Ik zei tegen mezelf: Marie daar ga je dan. Het was alles bij elkaar wel boeiend, het leven, maar het hád leuker kunnen wezen en het eind is een beetje abrupt en ik had nog graag mijn kast willen opruimen.

En ik zei tegen je vader: 'Karel, vergeef me dat ik wel eens onaardig tegen je geweest ben,' maar hij schreeuwde terug: 'Doe dan maar watjes in je oren...' Want je kunt elkaar van al die herrie volstrekt niet verstaan. Nou, ik was achteraf maar blij, dat hij het niet had verstaan, want de piloot bleef gezond en toen we behouden op de grond stonden dacht ik: stel je voor, vergiffenis vragen! En waarvoor!

In elk geval was ik blij toen we daar in Brussel uit dat zwiepding stapten en achter een café filtre zaten, met tante Anna die ons afhaalde en zei: 'Eindelijk dan!'

Zo'n weekend vliegt om. We hebben een beetje gewinkeld en op terrasjes gezeten en ons gerealiseerd dat we in het buitenland zaten. Het is er echt toch anders. We zagen er zoveel vrouwen met lila geverfde haren en draaiende heupen en je vader zei: 'Hè, ik leef echt op!' Ja, ik vond het wonderlijk dat alle vrouwen daar min of meer op mevrouw Hendriks van hiernaast leken.

Maandagmiddag zaten we weer in het blikken doosje terug. Ik kon precies zien, waar we Nederland binnenvlogen, want daar onder ons werd het landschap plotseling besprenkeld met witte stipjes: de Hollandse vrouwen waren bezig de witste was van hun leven op te hangen.

In elk geval kind, ik weet niet of er bij jou in Australië helikopters zijn, maar áls ze er zijn moet je er eens een tocht mee maken. Het is een alleraardigst vehikel.

Je vader brult alweer om een schoon overhemd en dus moet ik wat haastig eindigen. Dag lieve kind, een zoen van je moeder

P.S. Ik heb over de heg aan mevrouw Hendriks verteld dat we per helikopter hebben gereisd en daar had ze niet van terug met haar ocelot.

13-10-1955

Lieve Lientje

We hebben vandaag rodekool met rolpens gegeten en ik herinnerde me ineens, dat jij daar zoveel van hield en terwijl ik het klaarmaakte druppelden de tranen over m'n rolpens. Het is er overigens niet minder lekker door geworden en ik moet denken aan het woord van Goethe: 'Wie nie sein Brot mit Tränen ass...' wat er verder komt weet ik niet meer, iets met 'sass' denk ik, maar het is een ontroerend en toepasselijk woord. Ja kind, je zult nog wel eens terugdenken aan de lekkere dingen die je moeder placht toe te bereiden.

Een tijdlang heb ik de recepten uit de krant nagemaakt; er komen er steeds meer en dat gaat dan zo van: Neem zes maïskolven en vier aubergines, vul ze met gehakte zwarte olijven, één gefruit uitje, een teentje knoflook, een ons garnalen en wat geraspte kaas, laat het sudderen op een zacht vuur en dien het op met rietsuikerstroop. Je kent dat soort recepten wel, nou, ik heb het een paar keer gedaan en het komt er dan op neer dat ik me gek hol door de stad om de ingrediënten bij elkaar te krijgen, dat ik de hele middag in de keuken sta te mieren tot de garnalen aan het plafond kleven en als ik het dan op tafel zet, zegt je vader niets. *Niets.* Hij kijkt er alleen

96

naar, schuift het ver weg en zegt dan: Zo, en vertel me nou eens, wat *eten* we.

En daarom houd ik me maar aan gewoon rodekool met rolpens en karnemelkse pap toe.

We hebben nogal eens logés de laatste tijd; van de week was meneer Loozekant hier, je weet wel, van je vader z'n Vereniging en hij moest hier drie nachten logeren.

Nu had ik toevallig net in een damesblad een *test* gelezen: Bent u een Goede Gastvrouw? Je weet: er verschijnen tegenwoordig in alle bladen testen of tests. Je moet dan een hoop vragen naar waarheid beantwoorden en invullen. We hebben al gehad: Bent u een goede echtgenote? Bent u een goede moeder? Bent u een goede huishoudster? Bent u een sociaal-voelend mens? Bent u een mens met verantwoordelijkheidsgevoel? Bent u een accuraat mens? Ik vermoed dat de volgende *test* zal zijn: Bent u eigenlijk wel een mens?

Het is overigens wel tekenend voor de tijd, dat iedereen die test zo geduldig en gehoorzaam invult. En dat terwijl we al zoveel in te vullen hebben aan formulieren, de hele dag door. Wij zijn wel een generatie van invullers; we gaan het blijkbaar lekker vinden en de dag waarop we geen vragen op papier behoeven te beantwoorden, is voor ons een verloren dag.

Maar waar was ik gebleven... ik dwaal weer zo af! O ja, er was dus nu een *test*: Bent u een goede gastvrouw? Ik dacht: Laat ik dit nu ter harte nemen want meneer Loozekant komt logeren.

De eerste vraag was: Is uw logeervertrek onpersoonlijk, zoals een hotelkamer?

of

Doet u uw best er iets huiselijks van te maken, met bloemen, boeken, een leeslamp, sigaretten, asbak, enz...

Kennelijk was het tweede het juiste. Ik heb dus een grote vaas met chrysanten op het nachtkastje gezet, een leeslamp met een snoer, wat detectiveromans, sigaretten en bonbons, (die stonden er wel niet bij maar ik dacht kóm) en een grote asbak.

Nou je weet: meneer Loozekant is een aardige man maar een beetje plechtig en een beetje te prekerig en te didactisch naar mijn zin. En hij práát zo'n hele avond aan één stuk door en het kost mij dan de grootste moeite om niet in zijn gezicht te geeuwen.

Ik wees hem de kamer en je vader en ik gingen ook naar bed.

En het zal zo ongeveer één uur geweest zijn – ik soesde net weg – toen ik een afschuwelijke vloek hoorde in de logeerkamer. Ik schoot mijn kimono aan en rende naar meneer Loozekant.

Het bleek dat zijn leeslamp kortsluiting had gemaakt en dat hij toen in het donker de hele vaas chrysanten in zijn bed had laten vallen. Ik stak gauw een kaars aan en daar zag ik het: de arme man lag midden tussen de gele chrysanten en zijn bed dreef.

Waarmee ik maar zeggen wou, dat heb je nou van al die *tests* in de kranten. Ik heb me dan ook voorgenomen om niet meer op kranten en tijdschriften te vertrouwen. Behalve de gewone leugens geven ze je ook psychologische leugens en aubergines met garnalen.

Dag kind, zorg goed voor je zelf. Kun jij nou daar in Australië ook wel eens rodekool en rolpens eten, of kennen ze dat niet?

Veel liefs en een zoen van je
moeder

P.S. Mevrouw Hendriks van hiernaast schijnt ziek te zijn. Ik zie tenminste telkens de auto van de dokter voor de deur. Of... nou ik dit schrijf rijst een vreselijk vermoeden in mij op. Maar nee, laat ik niet kwaaddenkend zijn.

Lieve Lientje

Je vader zit in het bad te zingen, maar je zult zien, dat hij straks gaat schreeuwen om een handdoek, hoewel ik er twee voor hem heb klaargelegd.

Ik weet niet of ik je al schreef dat we een nieuw hulpje hebben, voor halve dagen. Ze heet Jannie en het is een aardig ding, al kan ze niets en al doet ze niets, maar ja wat wil je in deze tijd. Ze ís er en daar moet je duur voor betalen. Als ik zeg: 'Jannie, de bel gaat, doe eens open!' dan staat ze daar met haar tien nagels in de lucht te drogen en ze zegt: 'Doet u het zelf maar even mevrouw, anders beschadig ik de lak.' Dat heb je met die moderne meisjes: ze smeren zich vol lak en parfum en waarom? *waarom?* Om zo gauw mogelijk achter de wastobbe te staan voor hun verdere leven, met een sliert kinderen aan hun schort?

Nou, in elk geval... met die vele logés die ik krijg de laatste tijd, heb ik een hulpje absoluut nodig. We hebben tante Lena hier gehad en je weet het is mijn enige zuster en ik wilde haar dus liefderijk ontvangen, hoewel je vader zei: 'Goeie help, moet dat mens nou alweer komen?' 'Alweer...' zei ik, 'weet je dat ze in veertien jaar niet is geweest? Je kunt mij niet verwijten dat ik familieziek ben! Eenmaal in de veertien jaar! Ik ben zo blij dat tenminste eenmaal per veertien jaar dat warme gevoel tussen mij en mijn zuster nog eens opflikkert!' En je vader zei: 'Van opflikkeren gesproken: hoe lang blijft ze.' Ja, kind, je vader kan heel hard zijn.

Maar goed, ze kwam dan en ik moet toegeven dat het een moeilijke logeerpartij geworden is. Want tante Lena heeft, sinds ze weduwe is, allerlei ideeën. Ze leest boekjes over spiritualisme, ze gaat naar seances, ze *ziet* dingen, ze zegt dat ze in een vorig leven in Florence is geweest, als non in een klooster en ze zegt, dat ieder mens een aura om zich heen heeft, een goede aura of een kwade aura. 'Jij hebt een goede aura,' zei ze tegen mij, 'maar je man heeft er helemaal geen en dat is funest Marie!'

Nou, ik wilde haar zoveel mogelijk verwennen, omdat ze in veertien jaar niet was geweest, dus ik heb haar getrakteerd op appelkoek en op een lezing in het Gebouw, getiteld: Aan de Overzijde van Dit Bestaan.

Maar toen ze hier anderhalve dag was, zei ze: 'Marie, er is een slecht fluïdum in dit huis.' Ik dacht, dat ze het parfum van Jannie bedoelde en ik zei: 'O, dat ruik je na een paar dagen niet meer...' maar ze had het niet over parfum; ze bedoelde bepaalde Psychische Invloeden.

En de volgende dag zei ze doodsbleek tegen me: 'Ik wist het wel... ik dacht het wel... er is hier in huis een vrouw vermoord.' 'Wat zeg je me nou!' schreeuwde ik, maar ze legde haar hand op mijn arm en ze zei: 'Het moet iets van honderd twintig jaar geleden zijn gebeurd, Marie, want ze is gekleed in een grijze biedermeier-japon. Het is een grijze vrouw. Ik heb haar gezien, ze stond dáár in de voorkamer, naast het theemeubel, met een grijze sjaal om en een rode striem over haar hals.'

Nou, ik moet je bekennen, Lientje, het kippevel stond me op m'n armen en ik vond het afschuwelijk, te meer omdat de voorkamer juist zo knus is de laatste tijd en nou ineens weer een biedermeier-spook naast de theetafel!

'Het kán bovendien niet,' zei ik, 'want dit huis staat nog maar een jaar of veertig.' 'O, dat zegt niets,' zei tante Lena. 'Dat zegt helemaal niets. Zo iemand blijft op de plaats. Ook al breek je het huis af en ook al zet je er een ander huis neer. Nee Marie, je zult moeten verhuizen.' 'Laat zíj dan liever verhuizen,' zei ik korzelig. Maar dat viel niet goed. Want tante Lena is erg kwetsbaar op die punten.

En 's avonds toen we alle drie rustig bij elkaar zaten in de voorkamer, slaakte zij ineens een kreet en ze riep: 'Daar staat ze!' En ze wees naar het theemeubel. Ik liet ogenblikkelijk dertien steken vallen en je vader nam z'n pijp uit z'n mond en vroeg: 'Wie?' 'Sssst...' zei tante Lena en daarna werd het heel ingewikkeld allemaal omdat je vader dwars door de Grijze

Vrouw heen liep, om te bewijzen dat ze er niet was en tante Lena nam hem dat heel kwalijk.

Maar ja, Lientje, ik ben vrij nuchter, maar ik kwam toch langzamerhand erg onder de indruk van al die verhalen en het werd zó erg, dat ik op een avond gillend uit het schuurtje kwam, waar ik briketten had gehaald, omdat ik daar in het donker heel duidelijk iemand had horen ademen tussen de briketten. En toen riep je vader: 'Nou is het uit', en hij zei tegen tante Lena: 'Als jij zo blijft doorgaan, zijn er morgen twee vermoorde vrouwen in dit huis, een Grijze en een Blauwe' – want tante Lena draagt altijd blauw. En toen heeft zij ruzie met je vader gekregen. 'Ga naar Florence terug,' riep hij. En ze is boos weggegaan. Boos op mij ook, hoewel ik er toch werkelijk *niets* aan kon doen, Lientje. En het is mijn enige zuster dus het spijt me toch.

Het ergste was, dat Jannie ook prompt de volgende dag opzei, want ze wilde niet ergens werken waar het spookt, zei ze, en ik heb haar op mijn knieën moeten smeken om te blijven en per slot is ze gebleven, nadat ik haar opslag heb gegeven, en haar beloofd heb, dat ze nooit meer iets aan de voorkamer hoeft te doen.

In elk geval, kind, jij zit in Australië en daar heb je geen fluïdum geloof ik en daar waren honderd twintig jaar geleden uitsluitend wasberen en je zult dus geen last hebben van Invloeden.

Ik dacht het wel, je vader schreeuwt om een handdoek, ik eindig dus vlug, veel liefs en een zoen van je

moeder

P.S. Hiernaast staat de auto van die arts weer. En ze is níet ziek, mevrouw Hendriks. Wat zei ik je de vorige keer? En toen twijfelde ik nog. Maar onthou dit, lieve kind: Als je twijfelt, is het zo.

Lieve Lientje

Sinds een paar dagen ben ik weer aan het vermagerings-
kuren, want het kón niet langer zo. Ik tel de hele dag calorie-
en met een potlood en een papiertje; je vader wordt daar heel
zenuwachtig van en roept: 'Mens! Eet of eet niet! Maar schrijf
het niet op!' Het is zo jammer dat ik het nooit langer dan een
dag of drie volhoud. Dan gebeurt er altijd iets waardoor ik
ineens weer een slagroomsoes eet. Zoals nu ook weer. Er is
iets gebeurd, Lientje, moet je horen.

Ik ging uit om een jurk te kopen en je vader wou niet mee
want hij zegt dat hij liever drie uur voor een loket van het
CBH staat dan met mij een jurk te kopen. Dus ging ik alleen
en ik heb er zeventien gepast, die allemaal net te nauw waren
over de heupen, zodat ik bij mezelf zwoer, dat ik calorieën
zou blijven tellen tot ik weer in maat 42 kon. Maar in elk geval, ik kon niet slagen en eindelijk ben ik in het café van
Baanders gaan zitten om een kop thee te drinken. Daar zat ik
dus treurig te roeren in een kop kale thee en ik keek om me
heen. Tegenover me aan een tafeltje zat een jongeman, een
alleraardigste jongeman: hij leek een beetje op onze Huib,
weet je, daarom keek ik naar hem. Nou, die jongen zat kennelijk op iemand te wachten en na een kwartier kwam ze.
Zo'n meisje dat precies weet wat ze wil. Zo'n meisje, dat hem
had ingepalmd met huid en haar. Die hem had gevangen met
haar blauwe ogen – maar het waren koude ogen, Lientje en
ik kreeg een rilling, want de manier waarop ze met hem om-
sprong was kenmerkend. Ze had hem aan handen en voeten
vastgelegd. Ik zag ineens hun hele toekomst voor me. Hij zou
geen stukje van zijn leven meer voor zichzelf mogen houden
en hij zou zijn ziel tot de laatste centimeter toe aan haar moeten uitleveren. O, ik heb dat soort huwelijken zo vaak gezien.
En... zo dacht ik, terwijl ik naar die twee zat te kijken... hij
wil het niet eens, maar hij kan er niet meer tegen op. Hij is
ingesponnen als een weerloze rups. En straks zijn ze ge-

trouwd, dan is het te laat. Na een paar jaar ontmoet hij dan de vrouw die hij eigenlijk had bedoeld en dan... Ik zag het zo duidelijk voor me. En je weet wat ik altijd zeg: Van een huwelijk zonder liefde komt vroeger of later een liefde zonder huwelijk. En dan? Dan gaan die beide vrouwen ieder aan een kant zitten rukken en de kinderen worden de dupe.

Enfin, kind, ik wond me er erg over op en toen het meisje haar tas pakte om naar het toilet te gaan, heb ik haastig op de achterkant van het menu geschreven: DOE HET NIET! JE KUNT NOG TERUG!

Ik heb betaald, ben weggegaan en dat briefje heb ik hem onder zijn neus geduwd, in het voorbijgaan. En daarna was ik heel opgelucht en ik had het gevoel een Boodschap te hebben Gebracht.

Nou, en 's avonds moesten je vader en ik naar meneer en mevrouw Leraux – hij zit in het bestuur met je vader – en ik had me voorgenomen om geen hap zoet te eten. Dus ik bedankte voor hun petits fours en hun amandeltaart en ik zei: 'Nee, geen suiker alstublieft', en dat vereist moed, want een gastvrouw kan nu eenmaal niet nalaten aan te dringen. Wel, ik moet zeggen, het waren aardige mensen en we hebben een gesprek gehad over prinses Margaret en haar Townsend waar geen end aan kwam.

'Ha, daar zijn mijn dochter en haar verloofde,' zei onze gastvrouw en ik keek op. En toen, Lientje... ik heb nooit geloofd dat iemand werkelijk verstenen kan, maar nu geloof ik het. Ik versteende. Ze waren het. Die jongen en dat meisje uit het café van die middag. En zij versteenden ook en ik zag meteen dat hij haar het briefje had laten zien. Nou, ze hebben er niets over gezegd en ik ook niet natuurlijk en je kunt je voorstellen hoe de stemming was in die kamer. Zo vreselijk was die stemming, dat ik opeens een groot stuk amandeltaart heb genomen, van ellende en nog een groot stuk cake ook.

Je vader zei 's avonds laat toen we thuis waren: 'Van jou begrijp ik niets.'

Maar je ziet Lientje, ik houd het nooit vol zo'n kuur. Dag kind, tot de volgende brief maar weer en een zoen van je moeder

3-11-1955

Lieve Lientje

Je vraagt me om je zoveel mogelijk dingen te melden uit de krant, omdat je zo vaak heimwee hebt naar de gewone Hollandse omstandigheden, maar alleen de krant van maandag was nog over; met de rest heeft je vader de haard aangemaakt in de achterkamer, die nog steeds rookt, we weten niet wat het is; misschien zit er al weer een eksternest in.

Nou, de krant van maandag dus, en daar zie ik in staan: Strafschopstip lag 1 1/2 meter te dichtbij. En: ADC kwam pas in de slotfase naast VSH. Ik weet niet wat het betekent maar ja dat heb je tegenwoordig met maandagkranten. Ze staan vol met van die geheimzinnige uitroepen. Soms ga ik het lezen, denkend dat het over een conferentie van de grote vier gaat, maar dan blijkt helemaal aan het eind dat ze het over voetballers hebben. Verder staat er hier: Rundveeconferentie in Zwolle. En dan zie ik nog staan: Afhaalprijs van brood in Breda. Daar is een hele rel over geweest en in elk geval is dat wel typisch Hollands. En dan natuurlijk het geval Anneke Beekman. Maar dat vind ik niet zo typisch Hollands. Dat vind ik meer Spááns!

Ja kind, ik kan me voorstellen dat je vaak heimwee hebt naar de gewone vaderlandse dingen, het Vara-orgel van Johan Jong en alle morgenwijdingen. Soms hebben we er drie achter elkaar, van verschillende omroepen natuurlijk.

Zaterdag moesten we naar de schouwburg en oom Dirk zou ons komen afhalen met z'n auto. Je weet hoe woest hij altijd rijdt en 's middags dacht ik ineens: Er zou best iets met ons kunnen gebeuren. En ik vroeg aan je vader: 'Wil jij begraven worden of gecremeerd?' Hij werd daar kribbig over en hij zei: 'Het is of je vraagt wil je bruine suiker of basterd-suiker op je rijst.' 'Nou, ik wil in elk geval gecremeerd,' zei ik. 'En jij toch ook, hoop ik?' 'Dan moet je dat in je testament vermelden,' zei je vader. 'Anders gebeurt het niet.'

Maar we hadden nog maar een half uurtje voordat oom Dirk zou komen en ik heb dus een briefje geschreven, waar-op stond: 'Ik wil gecremeerd worden, s.v.p.' En ik dacht: Zie-zo, dat zullen ze wel vinden. Dergelijke dingen moet je altijd even vastleggen. Ik herinner me nog dat mijn tante Mieke al-tijd zo bang was om schijndood begraven te worden, want daar had ze iets over gelezen. En zij schreef een briefje, wat ze op haar mans nachtkastje prikte: 'Denk erom, Siebe, ik ben schijndood!' En zo wilde ik nu ook voor alle zekerheid de crematie vast afspreken. Ik liep met dat briefje rond; ik wist niet goed waar ik het laten zou en oom Dirk stond al te toete-ren voor de deur.

En toen kwam je vader met een los overhemd heel ze-nuwachtig aanlopen en zei: 'O ja, wil je asjeblieft even mijn post in orde maken? Kijk, deze brieven moeten in deze en-veloppen en daar zijn de postzegels en we posten ze wel on-derweg!'

Nou, ik had ook nog zoveel te doen en ik maakte haastig zijn post in orde, deed de brieven in de enveloppen en fran-keerde ze. Wel ontdekte ik dat ik een brief overhield waar geen envelop van was, maar ik dacht: dat is dan zeker een kladje en ik stopte het in m'n mantelzak. En toen zijn we in de auto gestapt want oom Dirk was rood van ongeduld. Het was een heel aardige avond overigens en een heel leuk stuk.

Maar nu vanmorgen kreeg je vader een brief uit Den Hel-der. Het was een heel verwonderde brief, van het Cultureel Genootschap aldaar. Want op hun schrijven waarin stond: 'Wilt u een lezing voor ons houden en wat zijn uwe condi-ties?' hadden ze een brief teruggekregen: 'Ik wil gecremeerd worden s.v.p.'

Zo zie je, Lientje, er is ook altijd wat hier in huis. En nu moet ik gauw naar de keuken want ik hoor dat Jannie weer iets breekt. Als het maar niet de nieuwe kaasstolp is. Dag m'n lieve kind, kleed je vooral *warm*, veel liefs en een zoen van je

moeder

P.S. Mevrouw Hendriks van hiernaast is aan het appels plukken in haar tuin, met haar vriend de dokter. Ze zal er hem straks wel eentje aanbieden, denk ik. Dat ligt in haar lijn, van oudsher!

17-11-1955

Lieve Lientje

We hebben deze herfstmaanden voortdurend vriendelijk zacht weer gehad zodat ik zonder hemd naar buiten kon, wél met bovenkleren aan natuurlijk. Het is net alsof de winter ons land vermijdt, wat ik me kan voorstellen.

Je vader vroeg me: 'Wat wil je voor je Sinterklaas?' 'Een goed korset,' zei ik. 'Maar dat is toch geen Sinterklaascadeau!' 'Waarom niet? Ik hoef het toch niet samen-met-Sinterklaas te gaan kopen? En ik heb het zó nodig. Ik voel me de laatste tijd net een pot jam zonder pot,' zei ik. 'Goed, koop het dan maar,' zei hij. En dat heb ik gedaan. Nu heb ik zo'n jong figuur, Lientje!

Je kent toch Cecile Streep, de schilderes! Herinner je je nog, dat ze ons altijd ieder jaar een Onweerslucht boven Polder cadeau deed, tot alle kamers vol hingen en we de neiging kregen altijd een paraplu op te steken in huis? Nou die Cecile bedoel ik. Ze is er zo treurig aan toe, want ze kán maar niet abstract schilderen, hoezeer ze het ook probeert. Ze schildert nog altijd koeien tot in de details van de uiers. Bij een blauw watertje. En dat kán helemaal niet meer, zoals iedereen weet. Ze klaagt dan ook omdat niemand iets van haar koopt, maar ik zeg altijd troostend: 'Als je abstracte schilderijen maakte,

Cecile, zou ook geen hond iets van je kopen, want wie koopt nou kunst?'

De vorige week ben ik bij haar op bezoek geweest; ik had haar in lang niet gezien. Ze woont op een zolderatelier in een grachtenhuis en toen ik langs al de kinderwagens en al de fietsen al die trappen was opgeklommen in mijn nieuwe korset, was ik zó uitgeput dat ik piepte als een pomp en neerzonk op de enige stoel die ze daar heeft staan.

'Pas op!' schreeuwde ze. 'Kijk nou toch!'

Maar het was al te laat. Het bleek dat ik boven op haar Koe in Bollenveld was gaan zitten. Een kletsnatte aquarel die ze juist voltooid had.

Je kunt je voorstellen hoe ellendig ik het vond, vooral omdat Cecile kreunde: 'O, o, het beste dat ik ooit gemaakt heb...'

'Misschien valt het nog wel mee,' zei ik timide, maar toen ik opstond zag ik wel in dat er niet veel aan te doen was. Ik had namelijk mijn ribbeltjes-jas aan en nu waren alle kleuren dooreengeveegd en er liep een ribbeltjespatroon over.

'Ik zal het van je kopen!' riep ik.

''t Hoeft niet hoor,' lachte Cecile een beetje treurig. 'Per slot is jouw jas ook bedorven; we zijn quitte.'

Toen bekeek ik het ding nog eens en ik vond het er eigenlijk zo op vooruit gegaan. Het rood en het paars van de bollen waren samen een gloedvol cerise geworden. Van de koe zag je niets meer, maar als je goed keek zag je een vaag soort eenhoorn. 'Ik vind het best aardig zo,' zei ik. 'Wel, hou het dan maar,' zei ze.

Dus ben ik naar huis gegaan met de cerise eenhoorn, en met een stuk koe en wat bollenveld achter op m'n jas. En toen ik thuiskwam heb ik het ding zelf zorgvuldig ingelijst. In de lijst waarin jouw opa altijd hing. Ik heb het in de achterkamer opgehangen en heus Lientje, het ding hing er bijzonder aardig, met die kleuren uitlopend cerise en ribbelig groen. Het deed het zo goed tegen de oker gordijnen.

Toen je vader het zag begon hij direct te schreeuwen want hij is allergisch voor abstracte kunst en zijn gezicht kreeg hetzelfde bijzondere koloriet van de aquarel. En ik heb hem niet verteld, hoe ik aan deze wandversiering kwam. Nee, ik heb het aan *niemand* verteld.

En 's avonds kregen we bezoek: John en Lidy en de Lammertsen en ze gingen allemaal voor mijn nieuwe aanwinst staan en we kregen een heel leuk gesprek over kunst. 'Het is een heel nieuwe techniek, dit ding,' zei John peinzend en bewonderend. 'Wat een geweldige kracht van uitdrukking,' zei Kees Lammerts... 'die eenhoorn is goed... gekund, en die geribbelde groenen... het is fauvistisch, zie je wel... van wie is het, de naam is niet te lezen...?' 'Het is van eh... van een heel jong schilder, Karel Peer,' zei ik, want een andere naam schoot me niet te binnen en ik durfde Ceciles naam niet te noemen want die kennen ze. 'Waar woont hij,' vroeg Lidy. 'Kunnen we niet eens kijken in zijn atelier.' 'Hij is nogal eh... schuw,' zei ik. 'Kom liever overmorgen nog eens bij me langs, dan zal ik zorgen dat ik nog meer van hem in huis heb.'

En toen ze weg waren, ben ik naar Cecile gerend, met mijn ribbel-jas over de arm, en ik zei: 'Cecile, dit is je kans! Heb je nog iets nats? Niet? Maak dan gauw wat dan ga ik erin zitten! Ik kan alles voor je verkopen, als ik er eerst in ga zitten.'

Maar ze wou het niet. Begrijp je dat nu, Lientje, ze wou niet!

Toen heb ik de eenhoorn maar voor haar verkocht. Ik kreeg er driehonderd gulden voor en sindsdien word ik de hele dag opgebeld door mensen die mij vragen: 'Waar woont de schilder Karel Peer?' En dan zeg ik maar: 'O, de heer Peer heeft een mental breakdown momenteel. Jammer hè?' Voor mij ook, want ik vond het zo heerlijk om ook eens creatief bezig te zijn, maar ja.

Nou kind, ik ga inkopen doen voor Sinterklaas, want je

broer Huib en Dolly en de kinderen komen het bij ons vieren, dus dat is heerlijk. Was jij er ook maar bij, lieve kind. Daag, groet je man.

veel liefs van
je moeder

P.S. Mevrouw Hendriks van hiernaast staat met je vader te praten over de heg. Ik hou er maar even een oogje op, want al is de heg ertussen: haar actieradius is erg groot.

24-11-1955

Lieve Lientje

We hebben jullie een pak gestuurd. Het was een heel ingewikkelde historie, want je vader moest er zeven maal mee heen en weer naar het postkantoor. Dan woog het weer te veel en dan zat er weer iets in wat er niet in mocht en dan waren de papieren niet goed ingevuld en dan moest hij weer naar een heel ander postkantoor om heel andere papieren te halen. Hij werd dan ten slotte ook heel boos en riep: 'Ik verdom het verder!' Je weet hoe je vader dan is. Maar ik zei: 'Heb je dat nou nog niet eens voor je dochter over?' En toen is hij voor de zevende maal gegaan. Nu hoop ik maar dat je het op tijd krijgt. Je vader zegt van niet, maar je weet hij is een pessimist. En dat zijn eigenlijk heel gelukkige mensen; het hele leven bestaat voor hen uit meevallers.

Ik kan het me best begrijpen, kind, dat jullie omstreeks deze tijd het meest last van heimwee hebt naar ons lieve land, nu Sinterklaas voor de deur staat. Maar je moet maar zó denken: wanneer je nu hier was, zou je de hele tijd uitroepen 'Ik wou dat die beroerde feestmaand voorbij was.' Want zo is het toch, Lientje, herinner je je nog wel? December is duur, je wordt er dik van en je krijgt met iedereen ruzie, ziedaar december in een nutshell.

Wat Sinterklaas betreft, het lijkt wel of ze ieder jaar vroeger beginnen met de Sinterklaasdrukte. Dit jaar hadden de etalages al in het begin van oktober marsepeinen worteltjes; je wordt doodgegooid met reclames van borstplaat en cadeautjes; twee maanden lang moet je tegen papieren Sinterklazen aankijken en tegen dat het 5 december is, kun je het woord niet meer horen.

En bij de kinderen is het net zo. De kleine Wouter (schrijft je broer Huib) is zo achtervolgd met Sinterklaas op de kleuterschool en thuis en hij heeft al zóveel Sinterklazen zien lopen en aan zoveel Sinterklazen een handje moeten geven in winkels en zo, dat hij volslagen geblaseerd is en tegen zijn vader zei, op straat: 'Pappa daar komt er weer een... kunnen we niet een eindje omgaan?'

En nauwelijks is het 6 december of we moeten weer een boom in huis halen die al direct begint uit te vallen. En dan kun je de kerstpiek van de kerstboom niet vinden en daar krijg je heibel over; het hulpje moet alsmaar vrij hebben en dat betekent dat wij vrouwen alles alleen moeten doen. Het betekent, dat je bij de poelier een beest moet gaan kopen en daar gaat dan eerst een hele discussie aan vooraf. Wat zullen we nemen? Een kalkoen? Nee, een kalkoen is te groot. Een konijn? Nee, een konijn is niet lekker. Een gans? Nee, een gans is zo vet. Een fazant? Nee, een fazant is zo duur. Ik ga dan eindelijk maar eens kijken bij een poelier, maar als ik daar al die beesten zie hangen, word ik zo treurig en ik kom zonder beest thuis. Dan zeg ik tegen je vader: 'Ik heb maar geen beest gekocht, want ik vind het zo zielig voor die lieve konijntjes en haasjes, laten we maar een kalfsbiefstukje nemen.' En dan zegt je vader boos: 'Waarom is een gans zieliger dan een kalf? Is een kalf dan niet zielig?' En dan zeg ik: 'Ja, je hebt gelijk, laten we dan maar een boterham met jam eten.' En dan zegt hij weer: 'Maar de tantes komen!' En dan zeg ik ten slotte: 'Nou laten we dan de tantes braden, daar heb ik nog het minste medelijden mee.' Zie je Lientje en dan hebben we ruzie want het zijn zíjn tantes.

En dan is de hele vrede-op-aarde gedachte weer uit ons huis weggevaagd en we staan korzelig tegenover elkaar en we raken te zamen verward in een stuk engelenhaar.

Waarmee ik niet wil zeggen, dat december een akelige maand is, hoor, maar ik wilde je zo graag even over je heimwee heen helpen en misschien is me dat nu wel gelukt.

Kind, voor kerst schrijf ik je in elk geval nog en als je het pak openmaakt... o nee, ik mag niet zeggen wat er in zit.

Dag lieve kind, ik wens je een heerlijke decembermaand.

je moeder

8-12-1955

Lieve Lientje

Je vader zit bij de kachel Shackletons poolreizen te lezen, voor de vierenveertigste keer. We hebben er net een hele discussie over gehad. Hij zei: 'Lees dat eens, dat is beter dan al die psychologische romans.' En ik zei: 'Nee dank je, ik zie nog steeds niet het nut van poolreizen. Mensen die zich over de ijsschotsen slepen met hun laatste kracht en met scheurbuik om op de pool een vlaggetje te plaatsen en daarna te bevriezen, maken mij kribbig. Precies zoals mensen die de Mount Everest beklimmen om daar een vlaggetje te plaatsen. Ze hoeven toch niet.' Maar je vader zei: 'Jij hebt niet het minste, maar dan ook niet het minste gevoel voor avontuur,' waarop ik zei: 'Vind je het dan zo avontuurlijk om bij een lekkere warme kachel te zitten en te lezen over mannen die zich zieltogend door de sneeuw slepen met bevroren neuzen? Ik vind er iets sadistisch in.' 'Ja,' zei hij, 'maar jij gaat in avondjapon naar een toneelstuk, dat gaat over honger in de achterbuurten; dat blijft dus hetzelfde.'

Nou, we zijn er maar mee opgehouden, want ik bedacht ineens met schrik, dat ik helemaal vergeten had kleine Keesje met Sinterklaas iets te sturen. Ik kon mezelf wel slaan, Lientje. Onze vrijzinnige dominee zei altijd: 'Het nalaten van

Goed is groter zonde dan het doen van Kwaad!' En dat kan ik volledig onderschrijven. Want uit het doen van kwaad put men toch altijd nog een zekere mate van plezier, op het moment zelf. Als ik morgen meneer Roodborst de hersens insla – je weet wel, dat is die wethouder die je vader zo getergd heeft – dan zal ik daar een intense vreugde aan beleven. Goed, het berouw komt later, maar ik héb dat plezier dan toch maar gehad. Maar al die dingen die je vergeet te doen, of die je nalaat uit laksheid of nonchalance... wat voor plezier heb je daarvan? Geen enkel! Ik heb nog nimmer uitgeroepen: 'O wat geniet ik op dit moment... ik vergeet nú de verjaardag van mijn zuster!' Ja onze oude dominee Loeverd had gelijk. En ik kan je dus de raad geven, kind, wanneer je kwaad begaat, doe het dan liever in het positieve dan in het negatieve.

Enfin, ik heb dan nog een pakje voor Keesje gemaakt, al is het laat en nu moet ik opschieten want we gaan vanavond naar de Jorissens. Het zal moeilijk zijn om je vader van zijn Shackleton los te weken. Ze zouden eerst hier komen, de Jorissens, maar je vader zei: 'Laten wij maar liever naar hen gaan, dan kunnen we tenminste zelf bepalen wanneer we weg willen.' En daar heeft hij groot gelijk aan. Je kunt wel, als je op visite bent, op je horloge kijken en zeggen: 'Verdraaid zeg, is het al elf uur? Dan is het langzamerhand tijd dat we eens opstappen.' Maar je kunt nooit tegen je visite zeggen: 'Verdraaid zeg, is het al elf uur? Dan wordt het toch langzamerhand tijd dat jullie eens opstappen...' Waarom eigenlijk niet, vraag ik me af. Wat is het sociale leven toch vol met vooroordelen.

Nu kind, hou je voeten warm en doe de groeten aan je man. Ik ben blij dat de eierwarmertjes naar je zin zijn. Veel liefs en een zoen van je

moeder

15-12-1955

Lieve Lientje

Ik kan me maar niet voorstellen, dat het nu bij jullie volop zomer is en dat jullie daar in een strapless badpak kunt lopen. Wij zien hier blauw van de kou. Iedereen zit overigens bij de kapper om zich te laten permanenten voor de kerst. Alle kapsalons in Nederland zijn afgeladen. Ik realiseerde me, toen ik er zat, dat dit nu mijn vijftigste permanent is, in 1930 ben ik ermee begonnen en sindsdien heb ik er elk halfjaar een gehad. Het maakt wel weemoedig, wanneer je zo iets bedenkt en ik peinsde dan ook onder de kap: hoeveel permanenten zal ik nog leven? Toen zag ik naast me, ook onder de kap, Lydia Looswinkel zitten en ze vertelde me, dat ze gaat trouwen. Ze moest het schreeuwen, want die kappen maken zo'n herrie. Ik was heel verrast want ik schat haar toch op, laten we zeggen, *dertig* permanenten. Nu, ik heb haar uitgenodigd om eens aan te komen en er alles over te vertellen.

En vanmorgen is ze dan bij me geweest. Je weet, ze componeert en haar orkest-suite is een keer uitgevoerd. Ik heb het toen gehoord en het klonk mij in de oren als de doodsstrijd van een torenkraai in vier gedeelten, maar ik weet heel goed dat ik er niet over mag oordelen, en dat doe ik dus ook niet. 'k Heb wel later aan deskundigen gevraagd hoe haar werk is: de ene zei: 'Knap', de andere zei: 'Pruts', maar dat hou je toch en zodoende weet je nog niks; zo gaat dat met moderne kunst. Over honderd jaar weten ze het pas, dus waarom zou ik me nu al een oordeel aanmatigen? Wat muziek betreft ben ik trouwens nooit verder gekomen dan Ravel (o ja, je hebt toch dat wollen bolerootje wel ontvangen, kind?).

Maar goed, ze was dus bij me, Lydia, en ze straalde: haar man is violist. 'Ik ben zo gelukkig,' zei ze. 'Maar weet je, Marie... ik ben wel erg bang dat mijn werk eronder lijden zal.' 'Onder het huwelijk?' vroeg ik. 'Dat hoeft toch niet?' 'Ach,' zei ze. 'Je weet toch, Marie, dat echt creatief werk alleen maar uit lijden geboren kan worden.' 'Is dat zo?' vroeg ik. 'Daar geloof ik niks van.' 'Het is zo,' zei ze. 'Kijk maar naar Mozart, Beethoven, Toulouse Lautrec, Van Gogh, noem maar op!' Ik probeerde een heleboel kunstenaars op te noemen die gelukkig waren, maar de enige die me te binnen wilde schieten was Danny Kaye en die wilde ik er niet tegen aan gooien. 'Nou,' zei ik, 'ik heb zelf veel geleden, maar daar is nog nooit iets uit geboren, behalve dan een paar kinderen, bij de bevallingen waar ik onder leed.' 'Je mag de stelling niet omdraaien,' zei ze. 'Maar ik geloof, dat het met mijn kunst is afgelopen. Ik lijd niet meer; ik ben te gelukkig. En dat is wel vreselijk.' 'Kom,' zei ik. 'Het huwelijk zal je, hoe dan ook, zoveel ellende brengen, dat er nog bergen kunst uit geboren kunnen worden. Heus, je hoeft niet bang te zijn.' 'Dacht je...' vroeg ze weifelend. 'Natuurlijk,' zei ik. 'Ten eerste kan je man een ellendeling blijken te zijn.' 'Nee,' zei ze beslist, 'dat kan niet.' 'Nou,' zei ik, 'dan zal hij je wel vroeg ontvallen. En dan, Lydia, je krijgt kinderen, en wie weet worden het gangsters en moordenaars. Ik kan het je natuurlijk niet beloven, maar je maakt toch een goeie kans. O, nee, je zult eens zien, hoeveel leed je nog zult ondervinden.' 'Dank je,' zei Lydia. 'Overigens,' zei ik, 'als kunst enkel uit lijden geboren kan worden, dan is het eigenlijk fout van de Overheid om kunstenaars te steunen. Niet dat het op het moment in té grote mate gedaan wordt, maar eigenlijk moet men dus ook niet de geringste poging aanwenden, hen op enigerlei wijze te helpen. Men moest hen kalm laten verhongeren op zolderkamertjes en als dat niet voldoende was, moest de Overheid hen nog eens flink komen sarren, en bij voorbeeld om de drie uur onder aan de trap roepen: "Het wordt toch niks!"'

'Ze hebben het heus moeilijk genoeg,' zei Lydia. Maar ze ging getroost weg en ik had dus weer een mens kunnen opbeuren. En dat, Lientje, is zo heerlijk, vooral tegen kerst.

Ik ga nu naar de keuken, want we hebben vis. Dag kind, nog eens prettige feestdagen. Een zoen van je
moeder